Keltische Mythen

Miranda Jane Green

Keltische Mythen

Eine Einführung

Aus dem Englischen übersetzt
von Michael Müller

Mit 39 Abbildungen
und 1 Karte

Reclam

Titel der englischen Originalausgabe:
Celtic Myths. London: British Museum Press, 1993. (The Legendary Past.)

MIX
Papier aus verantwortungsvollen Quellen
FSC® C125418
FSC
www.fsc.org

RECLAM TASCHENBUCH Nr. 20373

Umschlaggestaltung: Anja Grimm Gestaltung, Hamburg
Umschlagabbildung: Reliefplatte vom Silberkessel von Gundestrup, 1. Jh. v. Chr. (Nationalmuseum Kopenhagen): Der Gott Taranus, ein Mann mit Rad und verschiedene Tiere (© akg-images / Werner Forman)
Gesamtherstellung: Reclam, Ditzingen. Printed in Germany 2016
RECLAM ist eine eingetragene Marke der
Philipp Reclam jun. GmbH & Co. KG, Stuttgart
ISBN 978-3-15-020373-6

www.reclam.de

Inhalt

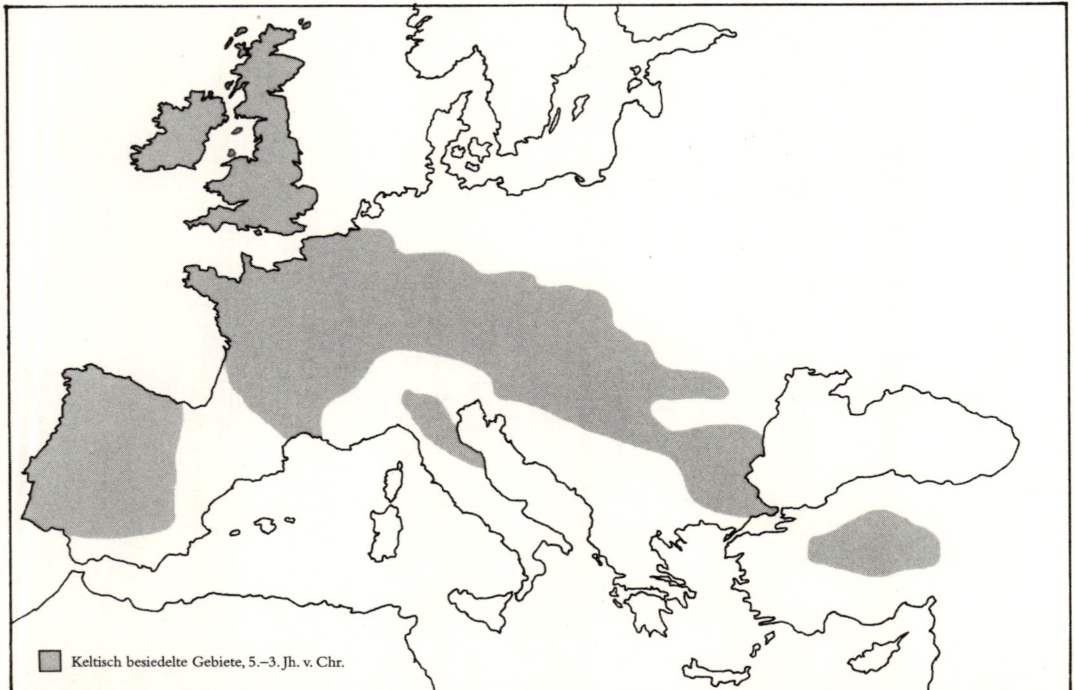
Keltisch besiedelte Gebiete, 5.–3. Jh. v. Chr.

Wie man etwas über die keltische Mythologie erfahren kann

Was meinen wir eigentlich mit »Mythos« und Mythologie? Es sind dehnbare Begriffe, die eine Vielzahl von Bedeutungen haben. Für mich sind Mythen untrennbar mit Religion verbunden, und ich verstehe sie als Geschichten, in denen ähnlich wie in einer Parabel auf symbolische Weise Ideen und Vorstellungen zum Ausdruck gebracht werden, die zu komplex und zu tiefgründig sind, um mit einfachen Worten vermittelt zu werden. In einem Mythos können bestimmte Fragen behandelt werden, wie zum Beispiel, wer wir Menschen eigentlich sind, warum wir existieren, was mit uns nach dem Tod geschieht; Fragen also, die uns alle beschäftigen, für die wir aber keine rationalen Erklärungen oder aus unseren Erfahrungen ableitbaren Antworten finden. Mythen können Naturphänomene, das Verhalten der Sonne, das Wetter, Dürren und Überschwemmungen, auf das Einwirken übernatürlicher Mächte zurückführen. Mythen leben also davon, daß sie die Verbindung zum Göttlichen herstellen. Sie stehen auch in Beziehung zum Kult; sie berichten von geheiligten Wesen, Göttern oder Helden, und von deren Zusammentreffen mit Sterblichen, und sind so Teil des äußeren Rahmenwerks eines Glaubenssystems. In diesem Buch sollen die Geschichten selbst, wie sie in Irland und Wales in der jeweiligen Volkssprache überliefert sind, Einblick in die keltische Mythologie liefern. Da aber ein solch enger Zusammenhang mit der Religion besteht, müssen zur Ergänzung auch die anderen Quellen untersucht werden, aus denen man etwas über das Glaubenssystem der Kelten erfährt: die Berichte klassischer Autoren und die archäologischen Zeugnisse.

Zeit und Raum

In diesem Buch sollen die Mythologie und die religiösen Anschauungen der heidnischen Kelten untersucht werden. Das heißt, daß der Zeitraum von ungefähr 600 vor bis 400 nach Christus im Blickpunkt steht; einige der herangezogenen Quellen sind allerdings jüngeren Datums. In ihrer Blütezeit beherrschten die Kelten ein Gebiet, das sich von Irland und einem Teil Spaniens im Westen bis Böhmen und Ungarn im Osten erstreckte und von Schottland im Norden bis Oberitalien und zur Ostküste der Adria im Süden reichte. Auch Galatien, das auf dem Territorium der heutigen Türkei lag, gehörte zur keltischen Welt. Autoren des Mittelmeerraums sprechen erstmals gegen 500 v. Chr. von den *keltoi* des Nordens, und archäologische Funde belegen, daß ungefähr von diesem Zeitpunkt an in einem großen Teil des diesseits der Alpen gelegenen Europas eine relativ einheitliche Kultur vorherrschte. Für die Zeit von etwa 300 v. Chr. an liefern keltische Ortsbezeichnungen und Eigennamen weitere Hinweise darauf, daß große Teile Europas von Angehörigen dieses Volks besiedelt waren.
Natürlich war der Übergang vom ›Heidentum‹ zum Christentum im keltischen Europa fließend; die alten Götter lebten noch lange weiter. Im 4. Jahrhundert wurde aber die christliche Religion im gesamten römischen Einflußbereich offiziell zur Staatsreligion erhoben, und in Britannien und in Gallien, wo sich die alten keltischen Traditionen am längsten hielten, wurde im 5. Jahrhundert die christliche Keltische Kirche gegründet.

Wenn man etwas über die keltische Mythologie und Religion erfahren will, wird man mit einer Hauptschwierigkeit konfrontiert: die heidnischen Kelten waren des Schreibens und Lesens so gut wie unkundig und konnten ihre Glaubensansichten und Einstellungen zur übernatürlichen Welt daher nicht in schriftlicher Form festhalten. Das bedeutet, daß alle Zeugnisse, die wir haben, nur indirekter Art sind. Diese Zeugnisse lassen sich drei verschiedenen Kategorien zuordnen, von denen jede bis zu einem gewissen Grad für sich untersucht werden muß, da zwischen den Aussagen, die in Quellen der einen Art enthalten sind, und den Ergebnissen, die solche einer anderen liefern, oft Unstimmigkeiten und Widersprüche bestehen. Bei den Zeugnissen handelt es sich erstens um die Berichte zeitgenössischer griechischer und römischer Beobachter, zweitens um volkssprachliche irische und walisische Texte aus späterer Zeit und schließlich um archäologische Funde.

Die Aussagen klassischer Schriftsteller

Viele Beobachter aus dem griechischen und römischen Kulturkreis äußerten sich zu den Traditionen, Kulten und Ritualen ihrer ›barbarischen‹ Nachbarn aus dem Norden. Diese Berichte sind für uns von Wert, weil sie von Zeitgenossen verfaßt wurden, andererseits sind sie aber oft voller Vorurteile und Mißverständnisse und weisen manchmal auch Auslassungen auf. Anders als die Kelten gehörten ihre Beobachter einer Kultur an, in der Städte eine bedeutende Rolle spielten und sogar als grundlegend für jede Zivilisation erachtet wurden. Die Völker des Mittelmeerraums kannten – neben einigen in den ländlichen Gebieten oder im privaten Bereich ausgeübten Kulten – ein hochorganisiertes staatliches Religionssystem, das vor allem in den Städten praktiziert wurde. Das heißt, daß die Autoren aus diesem Kulturraum, die sich mit den Kelten befaßten, über Traditionen und Anschauungen berichteten, die ihnen selbst fremd waren und denen ein weit weniger durchorganisiertes Religionssystem zugrunde lag. Es bestand daher die Gefahr, daß sie nur solche Aspekte des fremden Kultes berücksichtigten und zudem in übertriebener, sensationeller Form darstellten, die ihre Vorstellung von einem primitiven Volk, das jenseits der Grenzen der zivilisierten Welt lebte, bestätigten. Tatsächlich ist das Bild, das diese Autoren von den Kelten zeichnen, sehr fragmentarisch. Sie geben wenig Informationen über die fremden Götter, und wenn dies doch geschieht – wie zum Beispiel bei Caesar –, kommt es zu Verwechslungen und auch zu verfehlten Gleichsetzungen keltischer mit römischen Gottheiten. Generell legte man an die keltische Religion oft die Schablone an, die einem das eigene, also griechische oder römische, Glaubenssystem lieferte.

Viele klassische Autoren beziehen sich in der einen oder anderen Weise auf die keltische Religion. Ein wichtiger Informant ist Poseidonios, ein griechischer Philosoph aus dem ersten vorchristlichen Jahrhundert, der zur Schule der Stoiker gehörte. Seine Schriften selbst sind nicht erhalten, aber sie wurden von mehreren späteren Kommentatoren herangezogen und verarbeitet. Zu den Hauptquellen gehören die Berichte von Iulius Caesar (die in der Mitte des 1. Jahrhunderts v. Chr. entstanden), von Diodorus Siculus (aus der Zeit von ungefähr 60 bis 30 v. Chr.), von Lukan (1. Jahrhundert v. Chr.) und Dio Cassius (Ende des 2. bis Anfang des 3. Jahrhunderts n. Chr.). Zusammen liefern sie umfangreiches Informationsmaterial, das vor allem rituelle Praktiken betrifft; sie berichten über das Druidentum, Wahrsagerei, Opferungen von Menschen und die von den Kelten betriebene Kopfjagd. Sie äußern sich auch über die Einstellung der Kelten zum Tod und zur Anderswelt. Was aber fehlt, sind klare Aussagen über das Pantheon des Nachbarvolks und ihr Glaubenssystem.

Manchmal werden die Aussagen der klassischen Autoren von Zeugnissen anderer Art bestätigt. So werden zum Beispiel die prophetischen Gaben der Druiden auch in frühen iro-keltischen Texten erwähnt. Für einige Aspekte der keltischen Religion, wie die Existenz von Wasserkulten, die religiöse Bedeutung des menschlichen Kopfes und den Glauben an ein Leben nach dem Tode, liefern sowohl die Berichte der klassischen Schriftsteller als auch die frühen keltischen Texte und archäologische Funde übereinstimmende Belege.

Die volkssprachlichen Quellen

In die ersten in irischer oder walisischer Sprache verfaßten Texte ist mit Sicherheit vieles von der alten mythologischen Tradition eingegangen; trotzdem muß man vorsichtig sein, wenn man die in ihnen enthaltenen Aussagen und Anspielungen auf die übernatürliche Welt auswertet. Die Berichte klassischer Autoren und archäologische Funde lassen oft ein ganz anderes Bild von der Religion der heidnischen Kelten entstehen; dies liegt zum einen daran, daß die volkssprachlichen Mythen erst relativ spät schriftlich fixiert wurden, und daß dies in einem christlichen Umfeld geschah. Das heißt, daß viele der Texte von Mönchen, die einem christlichen Kloster angehörten, aufgeschrieben und dabei ›redigiert‹, also bearbeitet wurden. Zum anderen gibt es solche Dokumente nur für Wales und Irland, zwei Regionen, die an der westlichen Peripherie der keltischen Welt lagen.

Irland

In Irland begann man im 6. Jahrhundert n. Chr. damit, die mündlich überlieferten Mythen und Sagen schriftlich festzuhalten. Die Mehrzahl der erhaltenen Manuskripte datiert aber aus der Zeit nach 1100. Ihr Wert liegt jedoch darin, daß sie zweifelsohne Material einschließen, das aus einer viel früheren Phase der Besiedlungsgeschichte Irlands stammt, vielleicht sogar auf heidnische Zeit, also die Zeit vor 400 zurückgeht.
Es gibt drei Sammlungen irischer Prosatexte, die für die Erforschung der keltischen Mythologie besonders relevant sind. Die erste ist der sogenannte ›Mythologische Zyklus‹, der das *Leabhar Gabhála*, das *Buch der Invasionen*, und das *Dinnshenchas*, die *Geschichte der Orte*, enthält. Das *Buch der Invasionen* geht auf eine viel frühere Sammlung zurück, auf eine Geschichte Irlands, die gelehrte Mönche im 6. und 7. Jahrhundert zusammenstellten. In ihm wird über eine Reihe mythischer Eroberungen Irlands vor der Sintflut berichtet; den Höhepunkt und Abschluß bildet die Ankunft der Gälen oder Kelten. Sein Zweck scheint es gewesen zu sein, eine Art Schöpfungsmythos zu entwerfen, das heißt, Erklärungen für die Beschaffenheit des Landes selbst und seine Besiedlung durch die Kelten zu geben. Die ›Invasion‹, die in unserem Zusammenhang am meisten interessiert, ist die der Tuatha Dé Danann, des göttlichen Geschlechts Irlands, das aus zahlreichen männlichen und weiblichen Gottheiten bestand, von denen jede

eine besondere Funktion hatte und für einen besonderen Bereich zuständig war. Das *Dinnshenchas* ist weniger aufschlußreich, da es sich um ein topographisches Werk handelt; in ihm werden einige Ortsnamen auf mythische Ereignisse oder Gestalten zurückgeführt.

Die zweite relevante Sammlung ist der sogenannte ›Ulster-Zyklus‹; die wichtigsten der in ihr enthaltenen Texte bilden die *Táin Bó Cuailnge*, die Geschichte vom *Rinderraub von Cooley*. Diese berichtet vom Krieg zwischen Ulster und Connacht, den nördlichsten der fünf alten Provinzen. Die Handlung ist in einer Welt angesiedelt, die mit der realen wenig zu tun hat: Ulster ist von übermenschlichen Helden wie Cú Chulainn bevölkert und von Druiden wie Cathbadh; die euhemerisierte, das heißt als historische Person dargestellte, Göttin Medb regiert als Königin über Connacht; über das Schicksal der beiden verfeindeten Königreiche entscheiden die Morrigán und die Badbh, die beiden großen Kriegs- und Todesgöttinnen.

Wie schon der Name sagt, ist im Ulster-Zyklus die mythologische Tradition Ulsters festgehalten; etwas Vergleichbares existiert für keine der anderen Regionen Irlands. Die früheste bekannte Fassung der *Táin* ist auch in dem ältesten erhaltenen Manuskript, dem *Leabhar na h Uidre*, dem *Buch von der Dun-Kuh*, überliefert. Allerdings ist in ihm nur ein Teil des Textes enthalten, und dieser zudem noch in sehr lückenhafter und verderbter Form. Das *Leabhar na h Uidre* wurde im 12. Jahrhundert im Kloster von Clonmacnois zusammengestellt; die *Táin* ist jedoch sehr viel älter: die Sprache der ersten Fassung ist die des 8. Jahrhunderts, einige Wissenschaftler sind jedoch der Ansicht, daß manche Passagen noch mehrere Jahrhunderte früher entstanden sind.

Schließlich sind eine Reihe der Geschichten interessant, die den ›Fionn-Zyklus‹ bilden; auch dieser wurde im 12. Jahrhundert zusammengestellt. Der mythologische Gehalt dieser Texte ist weniger stark ausgeprägt; sie erzählen von den Taten des Helden Finn und seiner Schar von tapferen Kriegern, die alle von übernatürlicher Art sind. In ihnen kommt eine starke Affinität zur Natur und den überirdischen Geschöpfen, die sie bevölkern, zum Ausdruck;

von dieser animistischen Einstellung der Kelten zur Welt zeugen auch eine Reihe von archäologischen Funden.
Es ist sehr umstritten, in welchem Maße die frühen irischen Dokumente zur Rekonstruktion der keltischen Mythologie beitragen können. Zum einen wurden sie, wie gesagt, erst im Mittelalter und in einem christlichen Umfeld niedergeschrieben, zum anderen deutet die in ihnen verwendete Sprache darauf hin, daß die einzelnen Geschichten nicht vor dem 8. Jahrhundert entstanden. In einigen Beschreibungen spiegelt sich ganz deutlich das mittelalterliche Irland wider. Es verbietet sich, der epischen Literatur Irlands den gleichen Status einzuräumen wie den Berichten klassischer Autoren über die heidnischen Kelten. Zwischen dem keltischen Europa des späten zweiten Jahrtausends vor Christus und dem Irland des frühen Mittelalters besteht einfach – in zeitlicher wie in räumlicher Hinsicht – ein zu großer Abstand. Dennoch gibt es nicht zu widerlegende Beweise dafür, daß in den irischen Textsammlungen einiges von den Glaubensansichten und Vorstellungen der Kelten aus vorchristlicher Zeit überliefert ist. Solche archaischen Elemente sind besonders im ›Ulster-Zyklus‹ festzustellen. In ihm wird die Situation geschildert, wie sie vor dem 5. Jahrhundert herrschte, als Ulsters politische Stellung innerhalb Irlands sich dramatisch änderte. Daß sich in dem Zyklus noch Darstellungen der frühen, vorchristlichen politischen Organisation finden, ist darauf zurückzuführen, daß die Mönche, die die Sammlung anlegten, es als ihre Aufgabe betrachteten, die geschichtliche Vergangenheit der Provinz festzuhalten. Es gibt noch andere Faktoren, die auf einen ›heidnischen Ursprung‹ der Texte hinweisen: das Christentum wird in diesen Sagen nicht erwähnt, und die Einstellung gegenüber der übernatürlichen Welt, die in ihnen zum Ausdruck kommt, ist eine vorchristliche.
Zu welchem Zeitpunkt die verschiedenen Sammlungen auch entstanden, in ihnen sind immer noch heidnische Glaubensansichten und mythologische Vorstellungen enthalten. Trotzdem ergeben sich große Probleme, wenn man versucht, die aus diesen Texten gewonnenen Erkenntnisse zu den Ergebnissen der Archäologie in Beziehung zu setzen. Nur die Existenz einiger Vorstellungen, wie

zum Beispiel die von der heiligen Kraft, die der Zahl Drei innewohnt, wird gleichermaßen durch literarische und archäologische Zeugnisse belegt. Obwohl die keltischen Götter in den Texten als ›Personen‹ auftreten, enthalten diese keine Hinweise darauf, in welcher Form sie verehrt wurden oder welcher spezifische Glaube sich mit ihnen verband. Von wenigen Ausnahmen abgesehen, ist es unmöglich, die Tuatha-Dé-Danann-Götter mit Gottheiten zu

Dieses römisch-keltische Steinrelief aus Cirencester in Gloucestershire zeigt drei genii cucullati, *kleine, in Kapuzenmäntel gehüllte Gottheiten der Fruchtbarkeit und des Wohlstands*

identifizieren, deren Namen uns durch Inschriften aus dem frühen ersten Jahrtausend bekannt sind. Der Name des irischen Gottes Nuadu mag sprachgeschichtlich mit »Nodens« verwandt sein, dem Namen eines Gottes, dem im 3. Jahrhundert ein großes Heiligtum am Ufer des Severn errichtet wurde, und es gibt andere mögliche Zuordnungen dieser Art, aber wirklich nur sehr wenige. Die Probleme, die uns die irischen Mythen bereiten, mögen darauf zurückzuführen sein, daß die Geschichten durch die christlichen Schreiber von den in ihnen überlieferten heidnischen Vorstellungen ›gesäubert‹ wurden. Bearbeiter, die entweder mit der keltischen Religion nicht vertraut waren oder ihr feindlich gegenüberstanden, können die in den Geschichten dargestellte Welt des Übernatürlichen bewußt umgeformt oder auch neu entworfen haben, um das heidnische Gedankengut zu neutralisieren. Die alten religiösen Anschauungen kommen also vielleicht in den schriftlich fixierten Texten nur noch in sehr verwässerter Form zum Ausdruck, und es begegnen uns in ihnen übermenschliche Helden und Götter, die aus dem theologischen System, zu dem sie ursprünglich gehörten, herausgelöst sind.

Wales

Die frühen volkssprachlichen Texte der walisischen Kelten sind reich an mythologischen Elementen, es sind aber vergleichsweise wenige von ihnen überliefert, und diese weisen auch, in stärkerem Maße als die irischen, Spuren späterer Veränderungen auf. Der christliche Gott wird in ihnen ständig angerufen, und einen Reigen heidnischer Götter, wie man ihn im *Buch der Invasionen* findet, sucht man hier vergebens. Man kann auch feststellen, daß Motive aus den Geschichten anderer Kulturen in die walisischen Texte eingegangen sind, und es gibt Beziehungen zur mittelalterlichen Artus-Epik kontinentaleuropäischer Länder. Der walisische Arthur (Artus) ist ein Held, der für die Gerechtigkeit kämpft, und in Taliesins Gedicht aus dem 13. Jahrhundert *Die Kriegsbeute von Annwn* bietet er der Anderswelt Trotz.

Weniges in den erhaltenen walisischen Manuskripten ist nachweislich so früh entstanden, daß wir aus ihm Rückschlüsse auf die Religion der heidnischen Kelten ziehen könnten; man kann aus ihnen bestenfalls etwas über ihr Kultsystem, also die äußere Form ihrer Religionsausübung erfahren. Die walisische Mythologie ist in ihnen enthalten, sie ist aber so umgeformt und in einen anderen Kontext einbezogen worden, daß sie oft kaum noch als solche erkennbar ist. Das aufschlußreichste und gleichzeitig früheste Material findet sich in den *Pedair Ceinc y Mabinogi*, den *Vier Zweigen des Mabinogi* (manchmal auch als *Mabinogion* bezeichnet), und der *Geschichte von Culhwch und Olwen*. Hinzu kommen noch Texte wie *Der Traum von Rhonabwy* und *Peredur*. *Culhwch und Olwen* ist vielleicht die älteste der mythologischen Erzählungen aus Wales, in ihrer ursprünglichen Form stammt sie aus dem 10. Jahrhundert. Die *Mabinogion* wurden erstmals im 11. Jahrhundert zusammengestellt. Die frühen walisischen Texte sind in zwei großen Sammlungen überliefert, dem *Weißen Buch von Rhydderch*, das um 1300 niedergeschrieben wurde, und dem *Roten Buch von Hergest*, das aus dem späten 14. Jahrhundert stammt. Der Erzählstoff von *Culhwch und Olwen* und den *Vier Zweigen* scheint in beträchtlichem Ausmaß auf viel ältere Überlieferungen zurückzugehen, das heißt vielleicht mehrere Jahrhunderte vor der Zeit entstanden zu sein, da die Texte in der uns heute bekannten Form niedergeschrieben wurden.

Alle Erzählungen haben die Taten von Helden zum Inhalt, hinter denen sich übernatürliche Wesen verbergen. Ihre göttliche Natur kommt nicht offen zum Ausdruck, wird aber durch ihre physische Erscheinung und ihre moralische Statur enthüllt. In den walisischen Mythen tauchen zahllose verzauberte oder magische Kräfte besitzende Tiere auf; oft wird die Verwandlung eines Menschen in ein Tier dargestellt. Häufig begegnet das Motiv des menschlichen Kopfes, der göttliche Eigenschaften besitzt, und des Kessels, der die Toten wieder zum Leben erwecken kann. Es wird auch das Bild der Unterwelt gezeichnet, die Annwn heißt und von Arawn regiert wird. Insgesamt gleicht sie sehr der Unterwelt, wie sie in den irischen Mythen beschrieben wird; auch in Annwn lebt man ganz ähnlich, wie man auf der Erde gelebt hat.

Wie im Fall der irischen Mythen lassen sich nur selten Beziehungen zwischen den literarischen Zeugnissen und archäologischen Funden herstellen. Gelegentlich ist die Verwandtschaft literarischer Figuren mit keltischen Gottheiten evident: Mabon, der Jäger aus *Culhwch und Olwen*, ist mit Sicherheit der uns aus Widmungsinschriften bekannte gallo-römische Gott Maponus, der in Britannien und Gallien verehrt wurde. Von religiösen Vorstellungen, wie etwa über die magischen Fähigkeiten von Tieren, menschlichen Köpfen und Kesseln, künden auch bestimmte von Archäologen entdeckte Kulturgegenstände. Überdies gibt es Bezüge zwischen den walisischen und den irischen Mythen: Motive wie Gestaltwandel, Affinität zwischen Mensch und Tier und Heilung durch Zauberkessel zeigen, daß die irischen und die walisischen Kelten eine gemeinsame mythologische Tradition besaßen.

Archäologische Zeugnisse

Aufschluß über die Religion der heidnischen Kelten liefern vor allem archäologische Funde. Sie vermitteln zumindest Kenntnisse über kultische Gepflogenheiten, darüber, welche Orte als heilig galten, wie die Heiligtümer beschaffen waren, welche Beisetzungsbräuche und welche Rituale es gab. Zum Teil handelt es sich auch um Inschriften oder um bildliche und figürliche Darstellungen. Allerdings bereiten uns diese Zeugnisse Schwierigkeiten eigener Art. Die Archäologen können nur das wenige erforschen, was erhalten blieb, und außerdem ist es naturgemäß problematisch, allein aus Kulturgegenständen, die von Gemeinden, die vor zweitausend Jahren lebten, angefertigt und benutzt wurden, auf deren Vorstellungen und Glaubensansichten zu schließen. Eine weitere Schwierigkeit ergibt sich daraus, daß die bildlichen Darstellungen, die Bezug zur Religion haben, aus der Zeit stammen, als die Kelten schon unter römischem Einfluß standen. Da die Kelten viel von der römischen Religion und der entsprechenden Symbolik übernahmen, läßt sich oft nur schwer unterscheiden, was auf ihre eigene Tradition zurückgeht.
Die archäologischen Zeugnisse stammen aus der Periode von ungefähr 700 v. Chr. bis ungefähr 400 n. Chr.; das erste Datum markiert den Zeitpunkt, zu dem die Kelten eine eigene, als solche erkennbare Kultur ausgebildet hatten, das zweite bezieht sich auf den Untergang der heidnischen Religion, der zeitlich mehr oder weniger mit dem Ende der Besetzung der keltischen Territorien durch die Römer zusammenfiel.

Es gibt zahlreiche Zeugnisse für keltische Heiligtümer aus vorrömischer Zeit. Es existierten von Menschenhand errichtete Heiligtümer, denen man aber keine nur für sie typische Gestalt verlieh, das heißt, es gab keine sakrale Architektur wie etwa bei den Römern und Griechen. Ein Heiligtum konnte aber auch ein umzäuntes offenes Gelände, ein See, ein Wald oder eine Quelle sein. Die Kelten legten zudem tiefe Gruben oder Schächte an, um mit den Mächten der Unterwelt kommunizieren zu können. Es gibt Belege für wiederholt vorgenommene, formalisierte Handlungen, die offensichtlich keinem praktischen Zweck dienten und die man daher als ›rituelle Handlungen‹ definieren kann. Als Beispiele zu nennen wären das Versenken von Votivgaben in Gewässern der verschiedensten Art, die rituelle Zerstörung von Gaben und die Opferung von Lebewesen.

Die ›freien‹ Kelten scheinen nur wenige aus Stein oder Metall gefertigte Statuen von ihren Göttern besessen zu haben; da sich aber einige hölzerne Bildwerke erhalten haben, können wir daraus schließen, daß diese damals recht verbreitet waren. In der Zeit, bevor die Kelten unter römischen (und damit auch griechischen) Einfluß gerieten, was zu einer Vermischung einheimischer und fremder religiöser Traditionen führte, bestand ihre Kunst in der Hauptsache aus abstrakten Mustern und kaum aus figürlichen und bildlichen Darstellungen eindeutig religiösen Inhalts. Es gibt jedoch einige Steinreliefs und -statuen aus vorrömischer Zeit; die ältesten gehen auf das 6. bis 5. Jahrhundert v. Chr. zurück. Die Hauptfundorte liegen im unteren Rhône-Tal (was vielleicht auf den Einfluß der griechischen Kolonie zurückzuführen ist, die um 600 bei Marseille entstand) und in Mitteleuropa. In den letzten beiden vorchristlichen Jahrhunderten wurden figürliche Darstellungen gebräuchlicher, und Bronzestatuetten von Tieren, vor allem von Wildschweinen, mögen eine quasi-religiöse Funktion gehabt haben. Der einzigartige versilberte Kultkessel aus Gundestrup in Jütland, der vermutlich im 2. oder 1. Jahrhundert v. Chr. angefertigt wurde, gilt schon seit langem als ein bedeutendes Beispiel für die religiöse Kunst der Kelten. Sowohl auf der Außenseite als auch im Inneren ist er mit mythologischen Szenen und Abbildungen

Der berühmte Silberkessel von Gundestrup in Dänemark (2.–1. Jh. v. Chr.)

von Gottheiten geschmückt. Einige dieser Darstellungen zeigen einen exotischen, osteuropäischen Einfluß, die meisten von ihnen haben jedoch eine eindeutige Beziehung zur keltischen Kultur: der Gott mit dem Geweih, der einen Torques, einen Halsreif, trägt und dem eine Schlange mit Widderhörnern beigegeben ist, gehört zum keltischen Pantheon, und die abgebildeten Krieger halten Waffen in der Hand, wie sie die Kelten in der Eisenzeit verwendeten. Es ist nicht geklärt, wo dieser Kessel hergestellt wurde: die besten Silberschmiede der Zeit waren in Thrakien und Dakien in Südosteuropa zu Hause, und das Gefäß kann sehr gut von ausländischen Handwerkern für keltische Auftraggeber angefertigt worden sein. Diese Silberschmiede können Beschreibungen exotischer Tiere gekannt haben und durch sie zu einigen der Darstellungen inspiriert worden sein. In jüngerer Zeit ist die Theorie vorgebracht worden, daß der Kessel aus Indien stamme. Dabei läßt man jedoch die deutliche Beeinflussung der auf ihm angebrachten Darstellungen durch die keltische sakrale Kunst außer acht. Daß der Kessel nach Dänemark kam, mag das Ergebnis eines Plünderungszugs der teutonischen Kimbern in gallischem Gebiet gewesen sein. Nachdem sich die römische Kultur einmal in den Gebieten der Kelten etabliert hatte, wirkte sie auf ihre religiösen Traditionen ein. Vorher hatten diese keinen Ausdruck in Bildwerken der verschiedensten Art gefunden, danach gab es zahlreiche bildliche und figürliche Darstellungen von Göttern, von denen viele eindeutig nicht dem griechisch-römischen Pantheon angehörten. Auf römischen Einfluß gehen auch die Widmungsinschriften zurück, aus denen wir die Namen der keltischen Gottheiten kennen. Die plötzliche Fülle von religiösen Kunstwerken spricht dafür, daß schon die freien Kelten ein komplexes Glaubenssystem besessen, ihren Anschauungen aber nicht auf diese Weise Ausdruck verliehen hatten.

Der goldene Torques von Snettisham. 1. Jh. v. Chr. Heute im Britischen Museum

Archäologie und Literatur

Nur die archäologischen Funde und die landessprachlichen Mythen können einen substantiellen Beitrag zur Rekonstruktion der keltischen Mythologie liefern. Eigentlich müssen diese beiden Arten von Beweismaterial gesondert betrachtet werden; aufgrund der schon dargestellten zeitlichen und räumlichen Divergenzen besteht kein unmittelbarer Zusammenhang zwischen ihnen. Dennoch lassen sich einige Beziehungen herstellen. Sowohl die landessprachlichen Texte als auch die archäologischen Fundstücke künden manchmal von Vorstellungen, die so ausgeprägt und ›eigenartig‹ sind, daß sie nicht durch bloßen Zufall sowohl in Bildwerken oder anderen Kulturobjekten und in den mythischen Erzählungen zum Ausdruck kommen können. Zu nennen sind etwa: die heilige Kraft der Zahl Drei, die magische Kraft von Kesseln und die übernatürliche Kraft des menschlichen Kopfes, schließlich auch die Vorstellung, daß das Leben in der Anderswelt dem irdischen Leben ganz ähnlich ist. Durch solche Gemeinsamkeiten wird die Kluft zwischen den beiden Hauptüberlieferungssträngen der keltischen Mythologie überbrückt.

Irlands göttliches Geschlecht

Das *Buch der Invasionen* berichtet von einer Reihe mythischer Besetzungen Irlands durch fremde Eroberer. Den Anfang bildet ein Eroberungszug, der von einer Frau namens Cesair angeführt wurde, und den Höhe- und gleichzeitig den Endpunkt stellt die Ankunft der Gälen (der Kelten) dar. Tatsächlich ist es die Funktion dieses Mythos, die Anwesenheit der historischen Kelten in Irland zu erklären. Im Mittelpunkt des Mythos stehen die Tuatha Dé Danann, das »Volk der Göttin Danu«, ein göttliches Geschlecht. Ein früherer Eroberer war Partholón, der nach der Sintflut die erste Besiedlung Irlands in Angriff nahm; er kam mit seiner Familie und einem großen Gefolge, zu dem auch drei Druiden gehörten, aus Griechenland. Partholón und seine Leute wurden von einer Seuche dahingerafft. Seine Gestalt lebt in modernen irischen Volkserzählungen als Fruchtbarkeitsdämon weiter.
Die letzten Eroberer, über die im *Buch der Invasionen* berichtet wird, sind die Gälen, die ersten Kelten, deren Sprache Goidelisch ist. Der mythischen Überlieferung zufolge stammen die Gälen von den ›Söhnen des Mil‹ ab, die aus Spanien nach Irland gekommen waren. Sie vertreiben die Tuatha Dé und veranlassen sie so dazu, ein neues Königreich unter der Erde zu gründen. Als die Gälen irischen Boden betreten, begegnen sie drei eponymischen Göttinnen: Banbha, Fódla und Ériu. Jede von ihnen verlangt den Einwanderern das Versprechen ab, daß sie, falls es ihnen gelingt, sich auf der Insel festzusetzen, das Land nach ihr benennen werden. Der *fili*, der Seher (s. S. 125), versichert Ériu, daß das Land ihren Namen tragen wird, und als Gegenleistung prophezeit die Göttin, daß die Insel für alle Zeiten den Gälen gehören wird.

Die Tuatha Dé Danann

Dieses Geschlecht göttlicher Wesen, die mythischen Einwohner Irlands vor den Kelten, führt sich auf eine göttliche Ahnin mit Namen Danu zurück. Sie brachten vier starke Glücksbringer mit sich nach Irland: den Stein von Fál, der aufschreit, wenn der rechtmäßige König ihn berührt; den Speer von Lugh, der den Sieg im Kampf garantiert; das Schwert von Nuadu, dem niemand entgeht; und schließlich den Kessel des Dagdha, von dem sich niemand ungesättigt entfernt. Die Tuatha Dé sind große Magier und kennen sich im druidischen Wissen aus. Vielen der Götter werden bestimmte Funktionen zugeschrieben; so gilt Oghma als Gott der Kriegskunst. Lugh ist für das Handwerk und die Künste zuständig, Goibhniu für die Schmiede- und Dian Cécht für die Heilkunst.

Um die wichtigsten Götter der Tuatha Dé Danann ranken sich besondere Geschichten, die von ihnen und ihren Fertigkeiten handeln. Der Daghda, der ›Gute Gott‹, ist der Vater des Stammes, er sorgt für Fülle und Erneuerung. Seine beiden Hauptattribute sind eine große Keule, deren eines Ende tötet, während das andere wieder zum Leben erweckt, und ein riesiger, unerschöpflicher Kessel. Das Bild, das von Daghda gezeichnet wird, enthält gewisse Paradoxien: er wird als groß und ungeschlacht dargestellt, als eine lächerliche, groteske Gestalt, die ein unanständig kurzes Gewand trägt und unverschämt große Mengen Essen verschlingt. Gleichzeitig ist er der mächtige Vater seines Stammes. Alles dies trägt jedoch zu seiner Rolle als Fruchtbarkeitsgott bei. Mehrere Sagen berichten von seiner Vermählung mit verschiedenen Göttinnen, unter anderem mit Boann, der Göttin des Flusses Boyne. Durch seine Vereinigung mit der fürchterlichen Kriegsfurie, der Morrigán, sorgt er dafür, daß sein Volk in Sicherheit leben kann.

Goibhniu gehört zu einer Trias von Handwerksgöttern: er ist der Schmied, Luchta der Handwerker und Creidhne der Metallarbeiter. Zusammen – jeder von ihnen stellt einen anderen Teil her – schmieden diese drei Götter Zauberwaffen, die Lugh und die Tua-

Kleine Bronzemaske in Gestalt eines Pferdekopfes aus Stanwick in Yorkshire (1. Jh. n. Chr.); möglicherweise gehörte sie zu den Beschlägen eines Streitwagens. In wenigen sparsamen Linien hat der Künstler das Wesen des Pferdes eingefangen

tha Dé in ihrem großen Kampf gegen die Fomori verwenden, einheimische Dämonen, die sich gegen alle Invasoren Irlands in den Kampf werfen. Goibhniu ist die am weitesten entwickelte Gestalt des Dreigestirns. Seine Waffen treffen stets ihr Ziel und töten immer. Er hat eine zusätzliche Rolle als Gastgeber beim Anderswelt-Festmahl, bei dem das von ihm ausgeschenkte Spezial-Bier Unsterblichkeit verleiht. Dian Cécht ist der Gott des Heilens, seine Fähigkeiten bezieht er sowohl aus seiner Zauberkunst als auch aus seiner Kenntnis der verschiedenen Heilkräuter; er ist Arzt und Schmied zugleich. Dem König Nuadu fertigt er einen silbernen Arm an, der den ersetzt, den dieser im Kampf verloren hatte. Dian Cécht hat die Kraft, mittels Magie zu heilen: er erweckt tote Tuatha Dé Danann wieder zum Leben, indem er Zauberformeln über einem Brunnen singt, in den die gefallenen Krieger versenkt worden sind.

Manannán ist ein Meeresgott und wird mit entsprechenden Bildern dargestellt: sein Mantel ist wie die See, und die Wogen dienen ihm als Pferde. Er ist – wie der mit ihm verwandte Manawydan der Waliser – ebenfalls ein Magier und stellt den Tuatha Dé Hilfsmittel für ihre Schlachten zur Verfügung; darunter sind ein Boot, das den Gedanken dessen, der es lenkt, gehorcht, ein Pferd, das mit derselben Leichtigkeit über das Wasser wie über das Land galoppiert, und das Schwert Fragarach, ›Antwortgeber‹, das jede Rüstung durchdringt. Manannáns Zauberschweine sind Symbole für Erneuerung: man kann sie töten und essen, und am nächsten Tag sind sie wieder lebendig und warten darauf, erneut geschlachtet und bei einem Festmahl verspeist zu werden.

Zwei der bekanntesten Götter der Tuatha Dé Danann sind Nuadu und Lugh. Nuadu ist König der Tuatha Dé, muß aber abdanken, nachdem er in der Schlacht einen Arm eingebüßt hat: die Herrscher des Inselreichs mußten körperlich ohne Fehl sein. Für die Zeit, da Nuadu vorübergehend nicht zur Herrschaft fähig ist, wird ein ›Ersatz‹-König ernannt. Dies ist Bres, ›der Schöne‹; es ist merkwürdig, daß die Wahl auf ihn fällt, denn er ist zur Hälfte ein Fomori. Bres ist kein guter König, sein Geiz führt dazu, daß Mißwirtschaft einzieht und Irland nicht mehr so floriert wie früher.

Als die Fomori von den Tuatha Dé Danann besiegt werden, verschont man Bres, weil er verspricht, die Tuatha Dé in landwirtschaftlichen Dingen zu beraten. Die Tuatha Dé sind hervorragende Krieger und Handwerker, verstehen aber nichts vom Ackerbau. Was die Urbarmachung des Landes anbelangt, sind sie auf die ›Eingeborenen‹, das heißt die Fomori, angewiesen. Nuadu erhält seine Königswürde zurück, nachdem Dian Cécht ihm einen neuen Arm angefertigt hat, und ist von da an als Nuadu Argatlámh, ›Nuadu mit dem Silberarm‹, bekannt. Er wird aber durch die ständigen Konflikte mit den Fomori entmutigt, und der junge Lugh tritt an seine Stelle. Nuadu läßt sich mit Nodens, dem göttlichen Heiler von Lydney in Gloucestershire, identifizieren. Beide Namen bedeuten ›Wolkenmacher‹, was vermuten läßt, daß sie Wettergötter waren.

Lugh, ›der Leuchtende‹, ist sowohl mit den Tuatha Dé Danann als auch mit den Fomori blutsverwandt. Er war ein Gott des Lichtes, dem zu Ehren man im Sommer das Lughnasad-Fest beging. Das gallische *lugos* kann auch ›Rabe‹ bedeuten, und es gibt eine Beziehung zwischen dem Gott und diesen Vögeln. Lugh ist ein Kriegsheld, ein Zauberer und Meister der Handwerkskunst. In diesen verschiedenen Rollen präsentiert er sich am Königshof Nuadus in Tara. Daß er mit dem Handwerk in Verbindung gebracht wird, hat einige Wissenschaftler dazu veranlaßt, ihn mit dem gallischen Merkur zu identifizieren, der von Caesar als »Erfinder aller Künste« bezeichnet wurde. Es ist Lugh, der Nuadu dazu bringt, den Fomori die Stirn zu bieten, und er plant die Feldzüge, die zu ihrer Vernichtung führten. Er persönlich tötet den furchterregenden Balor, den Führer der Fomori, der sein eigener Großvater ist. Im Kampf setzt Lugh sowohl seine Zauberkunst als auch das magische Schwert und Boot des Manannán ein. Sein Beiname ist Lámfhada, ›mit dem langen Arm‹, vielleicht eine Anspielung auf sein großes Geschick mit dem Wurfspeer und der Schleuder. Mit der letztgenannten Waffe tötet er Balor.

Mythische Erzählungen von Lugh finden sich nicht nur im *Buch der Invasionen*. In Texten des Ulster-Zyklus erscheint der Gott als Cú Chulainns Vater aus der Anderswelt, der den jungen Helden

nach seinen Zusammenstößen mit den Kriegern von Connacht tröstet und heilt.
Nach ihrer Entmachtung durch die Gälen richten sich die geschlagenen Tuatha Dé Danann unter der Erde ein neues Reich ein, das ein Spiegelbild des alten überirdischen ist. Obwohl sie von ihnen besiegt worden sind, vermögen sie den Gälen Getreide und Milch wegzunehmen, und sie setzen diese Macht ein, um einen Kompromiß mit ihnen zu schließen. Beide Seiten kommen überein, daß

Gallo-römisches Steinrelief aus einem Heiligtum bei Mavilly in Frankreich, das Zentrum eines Heilkultes war. Dargestellt sind eine keltische Version des Mars, der als Behüter vor Krankheiten galt, eine Göttin und eine Schlange mit Widderhörnern, die Erneuerung und Fruchtbarkeit verkörperte

Irland in Zukunft in zwei Bereiche geteilt sein soll, eine Ober- und eine Unterwelt. In ihrem unterirdischen Königreich haben die Tuatha Dé Danann weiterhin aufgrund ihrer magischen Fähigkeiten die Herrschaft über das Übernatürliche inne; jeder Gott besitzt einen *sídh*, einen Feenhügel, der zur Glückseligen Anderswelt gehört.

Kämpfe um Irland: die Fir Bholg und die Fomori

Um sich zu den Herrschern Irlands erheben zu können, mußten die Tuatha Dé Danann gegen zwei Gruppen von furchteinflößenden Wesen antreten, von denen jede die ›Geschichte‹ der Insel entscheidend geprägt hatte. Die Eroberer, die vor den Tuatha Dé Irland besetzt hatten und von diesen vertrieben wurden, waren die Fir Bholg, ein mythisches präkeltisches Volk, das sich vermutlich nach dem Gott Builg nannte. Die Tuatha Dé besiegten die Fir Bholg in der Ersten Schlacht von Magh Tuiredh, der Schlacht, in der Nuadu seinen Arm verlor, und schickten sie auf die Aran-Inseln in die Verbannung. Der Bau der mächtigen Befestigungsanlage Dun Aonhusa auf Inishmore wird den Fir Bholg zugeschrieben. Einer Überlieferung zufolge gestatteten es die Tuatha Dé Danann den Fir Bholg, die Provinz Connacht für sich zu behalten.

Das zweite Volk, gegen das die Tuatha Dé bestehen mußten, waren die Fomori oder Fomhoire, ein Geschlecht von dämonischen Wesen (ihr Name bedeutet ›Unterdämonen‹), die angestammten Bewohner Irlands. Ihnen war schon Partholón begegnet und hatte gegen sie die erste Schlacht geschlagen, die jemals in Irland stattgefunden hatte. Als die Tuatha Dé Danann die Insel besetzten, bereiteten die Fomori ihnen große Schwierigkeiten; sie plünderten ihre Besitzungen und forderten hohe Abgaben von ihnen, wobei sie allen Zuwiderhandelnden schreckliche Strafen androhten. Die Fomori hatten einen furchteinflößenden Anführer, Balor ›mit dem unheilbringenden Auge‹; ein Blick aus seinem einzigen riesigen Auge tötete sofort, und er konnte mit keiner Waffe besiegt werden. Balor residierte auf Tory Island, er lebte in ständiger Furcht davor, daß die Prophezeiung, er würde eines Tages von seinem eigenen Enkel erschlagen werden, sich erfüllen könnte. Um das unmöglich zu machen, hielt er seine Tochter Eithne von allen Männern fern; sie wurde aber dennoch schwanger und gebar Drillinge. Balor warf die Neugeborenen in die See, einer von ihnen überlebte jedoch. Dies war Lugh, der dann als Erwachsener die Tuatha Dé Danann in die Schlacht gegen die Fomori führte und selbst Balor mit einem Geschoß aus seiner Schleuder ins Auge traf und so tötete.

Die Fomori sind – wie die Tuatha Dé Danann – ein göttliches Geschlecht. Balor personifiziert die negativen Kräfte des Bösen, die nur durch die Lichtkraft des Lugh, der selbst zur Hälfte ein Fomori und ein Verwandter des Balor ist, wirkungslos gemacht werden können. Die Tuatha Dé Danann und die Fomori verkörpern vielleicht den archetypischen Dualismus von lichten und unterirdischen, chthonischen Kräften, die miteinander im Kampf liegen, aber auch voneinander abhängig sind. Letzteres wird durch Lughs Abstammung zum Ausdruck gebracht und durch die Tatsache, daß die Tuatha Dé Danann zu ihrem Wohlergehen auf die landwirtschaftlichen Fähigkeiten der Fomori angewiesen waren.

Das sakrale Königtum

Eine wichtige Vorstellung, die in vielen inselkeltischen Mythen zum Ausdruck kommt, ist die vom geweihten oder göttlichen König. Das Geschick und das Gedeihen des Landes war untrennbar mit der Gestalt und dem Charakter des Herrschers verbunden. Der Geiz von Bres zum Beispiel führte dazu, daß Irland von Unfruchtbarkeit heimgesucht wurde. Der Königshof von Tara war von alters her der geheiligte Ort der Inthronisation. Dort wurde die rituelle Hochzeit zwischen dem König und dem in der Göttin der Herrschaft personifizierten Land vollzogen. Ériu, die Göttin, die Irland (Eire) ihren Namen gab, war eine solche Personifikation; sie reichte dem neuen sterblichen König einen goldenen Pokal mit rotem Wein, der ein Symbol für ihre Verbindung und für das dadurch verbürgte Erblühen des Landes war. Medb von Connacht vermählte sich mit neun Königen, und kein Mann konnte in Tara herrschen, bevor er ihr nicht beigewohnt hatte. Bildlich wird die vollzogene Vereinigung des Sterblichen mit dem Göttlichen durch eine Wandlung der Göttin zum Ausdruck gebracht: oft wird sie von einem häßlichen alten Weib zu einem jungen Mädchen von großer Schönheit.

Der Thronanwärter mußte verschiedene Proben bestehen, um zu beweisen, daß sein Anspruch zu Recht bestand: die königliche Robe mußte ihm passen, der königliche Streitwagen mußte ihn aufnehmen, und der Stein von Fál, der sich in Tara befand, mußte aufschreien, wenn er ihn berührte. Der rechtmäßige König mußte den Teilnehmern am *tarbhfess*, dem ›Stierschlaf‹ (s. S. 125), im Traum erscheinen. Nachdem er eingesetzt worden war, wurden dem König eine Reihe von *geissi*, Verboten oder geheiligten Verhaltensregeln, auferlegt; wenn er gegen diese verstieß, führte er seinen eigenen Sturz herbei.

Der Fionn-Zyklus

Der Fionn-Zyklus stammt, in seiner schriftlich ausgearbeiteten Form, aus dem 12. Jahrhundert, enthält aber zahlreiche ältere Erzählelemente und Motive. Die Hauptfigur ist der mit übermenschlichen Fähigkeiten ausgestattete Held Finn mac Cumhaill (manchmal auch ›macCool‹ geschrieben). Er ist der Führer der Fianna, einer Truppe von Elitekriegern, die nur aufgenommen werden, nachdem sie in extremen Situationen Stärke und Mut bewiesen haben, und deren Verhalten von strengen Regeln und Vorschriften kontrolliert wird. Die Fianna sind dazu verpflichtet, dem König von Irland gegen jeden Eindringling in sein Reich beizustehen.

Finns göttlicher Status wird durch viele Einzelheiten seines Lebens offenbar. Er wird von einer Druidin aufgezogen und entwickelt schon in frühester Jugend eine starke Affinität zur Welt der Natur, was durch seine Ehe mit Sava versinnbildlicht wird, einer Frau, die der Schwarze Druide durch seine böse Zauberkunst in eine Hirschkuh verwandelt hat. Finns Mannwerdung wird von mythischen Ereignissen begleitet: Finnegas der Barde verleiht ihm Weisheit, indem er ihn vom Salm des Wissens essen läßt, dem er sieben Jahre lang nachgestellt hat. Als Finn in Tara eintrifft, besteht seine erste Handlung darin, den Hof vermittels Magie von Aillen, einem bösartigen Kobold, zu befreien, der den Palast jedes Jahr bei Gelegenheit des Samhain-Festes (31. Oktober / 1. November) in

Bronzener Hirsch (1. Jh. v. Chr.). Die Statuette wurde zusammen mit anderen sakralen Gegenständen bei Neuvy-en-Sullias in Frankreich gefunden

Brand setzt. Sein Leben lang begegnet Finn immer wieder Erscheinungen aus der überirdischen Welt, er jagt verzauberte Tiere, die ihn in die Anderswelt locken wollen, und trifft auf Gottheiten wie die Morrigán, Nuadu und Oenghus. Er besitzt die Gabe der Prophetie und zeigt im Kampf übermenschliche Tapferkeit. Zum Verhängnis wird ihm sein Verstoß gegen einen *geis*, nämlich nie aus einem Horn zu trinken. Als der alternde Held von den Fianna verlassen wird, versucht er seine Stärke unter Beweis zu stellen, indem er über den Boyne springt – da er aber zuvor gegen das ihm auferlegte Verbot gehandelt hat, kommt er in dem Fluß ums Leben.

Im Fionn-Zyklus wird Finn mit anderen übernatürlichen Wesen und Geschehnissen in Verbindung gebracht. Sein Zusammentreffen mit dem jungen Diarmaid, seinem Rivalen um die Zuneigung der schönen Gráinne, läßt ihn in einem alles andere als günstigen Licht erscheinen. Seine Eifersucht treibt ihn dazu, mit Hilfe von Zauberei Diarmaids Tod herbeizuführen (s. S. 72). Diese Episode ist insofern typisch für die inselkeltische Mythentradition, als die Figurenkonstellation von jungem Liebhaber, alterndem Verehrer und junger Angebeteten häufig begegnet. So findet die Geschichte von Finn, Diarmaid und Gráinne in der im Ulster-Zyklus enthaltenen Erzählung von Conchobar, Naoise und Deirdre eine genaue Entsprechung (s. S. 72f.).

Finns Sohn Oisin (›Kleiner Hirsch‹) steht in enger Beziehung zur Anderswelt. Er wird von Niav mit dem Goldenen Haar, der Tochter des Königs von Tir na n' Og, dem Land der Ewig Jungen, in Bann geschlagen und begibt sich zu ihr, um mit ihr zusammenzuleben. Nach einer Weile ergreift ihn aber das Heimweh, und er will – gegen Niavs ausdrücklichen Rat – die Oberwelt besuchen. Sie warnt ihn, daß er nie einen Fuß auf irischen Boden setzen dürfe, wenn er zu ihr zurückkehren wolle. Oisin tritt seine Reise an und muß feststellen, daß dreihundert Jahre vergangen sind, seitdem er die Oberwelt verlassen hat. Als ihm dies bewußt wird, zerbricht seine Rüstung, er stürzt von seinem Pferd, und als er auf den Boden aufschlägt, ereilt ihn aufgrund seines hohen Alters sofort der Tod.

Mythen des Ulster-Zyklus

Die Prosaerzählungen, die den sogenannten Ulster-Zyklus bilden, handeln von den Taten der Ulaid, der Männer von Ulster, vor allem von ihrem großen Streit mit der Nachbarprovinz Connacht, und den Erlebnissen ihres Helden Cú Chulainn. Den Mittelpunkt des Zyklus bildet die *Táin Bó Cuailnge*, die Geschichte des »Rinderraubs von Cooley«, die vermutlich aus dem 8. Jahrhundert n. Chr. stammt. Die *Táin* ist in einer Reihe verschiedener Fassungen überliefert, von denen die früheste im *Leabhar na h Uidre*, dem »Buch von der Dun-Kuh«, enthalten ist. Diese Sammlung wurde in Clonmacnois von drei Mönchen erstellt, von denen der eine nachweislich im Jahr 1106 starb. Während man lange angenommen hat, daß der Ulster-Zyklus eine späte Kompilation viel älterer mündlich tradierter Geschichten darstelle, haben Wissenschaftler mittlerweile recht überzeugende Beweise dafür vorgelegt, daß es sich um eine originäre literarische Schöpfung handelt, die vor ihrer schriftlichen Fixierung mündlich weitergegeben wurde.

Der mythologische Gehalt des Ulster-Zyklus ist ausgeprägt, obwohl die Erzählungen in einem christlichen Umfeld entstanden. Die Mönche der damaligen Zeit mögen immer noch *filidh*, die Bewahrer des Wissens der Vergangenheit, gewesen sein, die mit den alten Ritualen vertraut waren und deren Absicht es gewesen sein kann, die Mythen in schriftlicher Form für nachkommende Generationen festzuhalten (s. S. 11). Daß einiges von der religiösen und rituellen Tradition der heidnischen Iren auch in christlicher Zeit lebendig blieb, steht außer Zweifel.

Die *Táin Bó Cuailnge* (*Der Rinderraub von Cooley*)

Daß im Ulster-Zyklus vorwiegend mythisches Gedankengut enthalten ist, wird durch sein Kernstück, die *Táin*, in eindrucksvoller Weise verdeutlicht. In ihr wird von dem großen Krieg zwischen Ulster und Connacht berichtet, der wegen eines mächtigen Stieres, dem Donn (dem ›Braunen‹) von Cooley in Ulster, entbrannte. Hier ist nicht von Viehdiebstahl als einem normalen, weltlichen Zeitvertreib die Rede, sondern vom Raub eines phantastischen, übernatürlichen Tieres, der den Ausgangspunkt zu einem großen ›Such‹- und ›Kampf‹-Mythos bildet. Die *Táin* beginnt mit einer Art von Vorspann, in dem erzählt wird, wie Königin Medb und ihr Gemahl Ailill von Connacht sich eines Nachts im Bett ihrer jeweiligen Besitztümer rühmen. Die beiden sind sich in dieser Beziehung relativ ebenbürtig, es gibt jedoch eine Ausnahme: Ailill nennt einen großen Stier mit weißen Hörnern, den ›Findbennach‹, sein eigen. Medb sucht ihr ganzes Reich vergeblich nach einem Tier von vergleichbarer Pracht ab; sie erfährt aber von dem großen Braunen Stier von Ulster. Dessen Besitzer, Daire mac Fiachnu, erklärt sich bereit, der Königin das Tier gegen eine großzügige Belohnung für eine Zeit zu überlassen. Durch Zufall hört er jedoch, wie Medbs Männer damit prahlen, daß, wäre es nach ihnen gegangen, sie den Stier auch ohne Einwilligung seines Besitzers an sich gebracht hätten. Daraufhin weigert sich Daire, Medb seinen Stier auszuliefern, und bringt ihn in ein Versteck. Medb beschließt, Ulster zu besetzen und den Donn mit Gewalt an sich zu bringen – und daraus entsteht ein langanhaltender Krieg zwischen den beiden Provinzen. In der Nacht vor der entscheidenden, letzten Auseinandersetzung wird der Donn aus Sicherheitsgründen nach Connacht gebracht. Als er das ihm unvertraute Territorium wittert, brüllt er laut, und Ailills Stier Findbennach wird auf den Eindringling aufmerksam: noch nie hat es außer ihm selbst jemand gewagt, in seinem Reich einen solchen Lärm zu machen. Es kommt zu einem Kampf zwischen den beiden Tieren, über den Medbs Männer Bricriu, einen göttlichen Unheilstifter, als Schiedsrichter einsetzen. Die Stiere kämpfen einen ganzen Tag

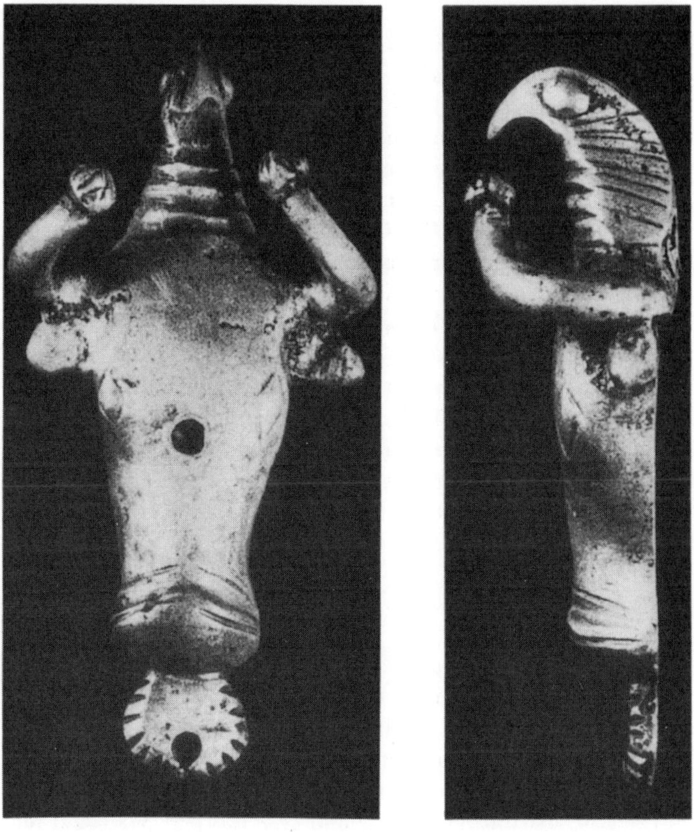

Vorder- und Seitenansicht eines bronzenen Beschlags für einen Eimer in Gestalt eines Stierkopfs mit darüber angebrachtem Adlerkopf. Aus Thealby in Lincolnshire (späte Eisenzeit)

und eine ganze Nacht miteinander und kommen dabei durch ganz Irland. Am Ende triumphiert der Donn von Cuailnge, er durchbohrt Ailills Findbennach mit seinen Hörnern; doch er ist selber so geschwächt, daß er ebenfalls stirbt.
Der Zweikampf der Stiere symbolisiert den Krieg zwischen Ulster und Connacht; ihr Tod kündigt an, daß nach dem Pyrrhussieg der Ulaid Friede herrschen wird. In der *Táin* wird ganz deutlich gemacht, daß beide Stiere von überirdischer Herkunft sind. Jeder von ihnen ist für seine Größe und Stärke berühmt. Der Donn ist so riesig, daß fünfzig Knaben auf seinem Rücken reiten können. Der Held Ferghus meint, daß die Tiere absichtlich von neidischen Göttern nach Irland geschickt wurden, um Zwietracht zwischen seinen Einwohnern zu säen. Er erzählt, daß die Stiere verzauberte Menschen sind. Ursprünglich waren sie einmal Schweinehirten, die dann eine Reihe verschiedener Gestalten annahmen, in jeder Gestalt aber die Urheber von Streit und Zerstörung waren. Der Braune Stier besitzt menschlichen Verstand: er reagiert sofort, als Cormac ihn zu größeren Anstrengungen gegen den Stier von Connacht auffordert.

Cú Chulainn und andere Helden von Ulster

Drei Krieger ragen aus der Schar der mythischen Helden von Ulster heraus: Ferghus mac Roich, Conall Cernach und – der größte Recke von allen – Cú Chulainn. Aus den Beschreibungen aller drei geht hervor, daß sie von übernatürlicher, halbgöttlicher Art sind. Der erste Bestandteil von Ferghus' Namen ist mit dem lateinischen *vir*, ›Mann‹, verwandt, und er verkörpert Sexualität und Fruchtbarkeit. Er ist der erste Liebhaber von Königin Medb, die selbst dafür bekannt ist, daß sie sich mit jedem einläßt, und Gefährte der Naturgöttin Flidais. Er besitzt einen ungezügelten sexuellen Appetit, den nur sieben Frauen befriedigen können. Er wird als übernatürliche Figur gezeichnet: er hat die Kraft von siebenhundert Männern, ist so groß wie ein Riese und kann bei einer Mahlzeit sieben Schweine, sieben Hirsche und sieben Kühe verspeisen und sieben Bottiche voll starker berauschender Getränke leeren. Er ist mit einem Zauberschwert von der Länge eines Regenbogens bewaffnet.

Ferghus gehört dem Hof König Conchobars von Ulster an und ist der Ziehvater des jungen Cú Chulainn, aber ein Vorfall veranlaßt ihn und andere Helden, zu Königin Medb überzulaufen. Es ist der Verrat, den Conchobar an Deirdre und Naoise begeht (s. S. 72), der Ferghus die Seiten wechseln läßt. Einige Wissenschaftler meinen, daß die Episode von der Flucht des Liebespaares und ihrem tragischen Ende eigens später in die *Táin* eingefügt worden sei, um Ferghus' Überlaufen zu erklären. In Connacht stellt Ferghus die Verbindung zwischen Königin Medb und Cú Chulainn her. Er wird von Ailill getötet, als er mit Medb in einem See badet. Einigen Quellen zufolge war Ferghus der Autor der *Táin*.

Conall Cernach ist der Sohn von Amhairghin dem Dichter und dessen Gemahlin Fionnchaomb, der Tochter des Druiden Cathbadh. »Conall« bedeutet ›stark wie ein Wolf‹ und »Cernach« ›siegreich‹. Die Art, wie er beschrieben wird, zeigt, daß er ebenfalls von übernatürlicher Abstammung ist: er bewacht Irlands Grenzen und ist der göttliche Ahne eines Teils des Landes. Wie Ferghus ist er ein Ziehvater und Lehrer Cú Chulainns. Conall ist der Inbegriff des irischen Ritters: beim Festmahl von Bricriu, das in der Anderswelt stattfindet, rühmt er sich, daß er stets mit dem abgetrennten Kopf eines Kriegers von Connacht unter dem Knie schlafe. In der in ihren wesentlichen Zügen sehr ähnlichen »Geschichte von Mac Da Thós Schwein« wird berichtet, daß er den Kopf von Connachts tapferstem Kämpfer an seinem Gürtel befestigt hat. Conalls Rang als halbgöttlicher Held wird durch viele Ereignisse in seinem Leben unterstrichen; eine Episode handelt von seinem Angriff auf eine Festung, in der eine große Schlange einen Schatz bewacht. Die Affinität zwischen dem Helden und dem Reptil wird offenkundig, als die Schlange in Conalls Hosenbund schlüpft und keiner dem anderen etwas zuleide tut.

Cú Chulainn, der ›Hund von Culann‹, ist der archetypische übermenschliche Streiter der epischen Tradition. »Cú« ist ein relativ gebräuchlicher Titel für Krieger, aber in seinem Fall hat der Beiname eine besondere Bedeutung. Er verweist auf eine Episode seiner Kindheit zurück. Als er noch sehr jung war, hatte er den Hund von Culann dem Schmied getötet und sich verpflichtet, anstelle des Tieres die Schmiede zu bewachen. Sein Leben lang steht Cú Chulainn in enger Beziehung zu Hunden: auf ihm liegt ein *geis*, daß er niemals Hundefleisch essen darf; er verstößt dagegen und schafft damit die Voraussetzung für seine eigene Vernichtung.

Cú Chulainn ist ein kurzes, aber ruhmreiches Leben bestimmt. Er ist tapfer, schön, stark und ein unbezwingbarer Kämpfer. Vielleicht verdankt er seine Existenz einem Kriegerkult und wurde später von einer Kultfigur zu einer pseudohistorischen ›Person‹ umgewandelt. Bei seiner Zeugung, in seinem Leben und bei seinem Tod wird der Einfluß überirdischer Mächte erkennbar. Sein Vater war entweder der Gott Lugh oder Conchobar, und bei seinen unmittelbaren Vorfahren kam es zu Inzest – was ein Zeichen für göttliche Abstammung ist. Wie bei dem walisischen Pryderi fällt Cú Chulainns Geburt zeitlich mit der Geburt von Pferden zusammen: zwei Fohlen kommen in genau demselben Moment wie der Held auf die Welt; später ziehen diese beiden, der Graue von Macha und der Schwarze von Sainglu, seinen Streitwagen. Cú Chulainn selbst stellt von Kindheit an unter Beweis, daß er von den Göttern abstammt: er trifft am Hof Conchobars ein, nachdem er hundertfünfzig der jungen Streiter des Königs getötet hat. Schon als Knabe verlangt er nach Waffen, weil er die Prophezeiung mitangehört hat, daß jeder, der an einem bestimmten Tag Waffen anlege, eine glorreiche Zukunft haben werde. Cú Chulainn zerbricht fünfzehn Mal das Kampfgerät, das man ihm reicht, bis man ihm schließlich die auf besondere Weise gehärteten Waffen von Conchobar selbst überläßt.

Der junge Kämpfer wird von Scátach unterrichtet; sie ist nicht nur eine Lehrerin der Kriegskunst, sondern auch eine Seherin, die Prophezeiungen über Cú Chulainns Zukunft ausspricht. Er zieht mit magischen Waffen – wie dem Gae Bulga, einem mit Widerhaken versehenen Speer, der dem Gegner unweigerlich tödliche Wunden zufügt – in den Kampf und trägt eine magische Rüstung, zu der ein Helmvisier gehört, das Manannán, der Meeresgott, ihm geschenkt hat. Sein Wagenlenker besitzt die Gabe, den Streitwagen unsichtbar zu machen. Cú Chulainn ist der Hauptkämpfer Ulsters gegen die Streitmacht von Connacht, und er ist als einziger gegen Machas Fluch gefeit, durch den die Ulsterleute in Krisenzeiten eine Schwäche überfällt. Auf sich allein gestellt, tötet er eine große Zahl von Medbs Kriegern. Wenn die Kampfeswut ihn ergreift, verfällt er in Raserei, er wird zum Berserker und vermag Freund und Feind nicht mehr zu unterscheiden. Wenn er so tobt, gleicht

Römisch-keltische Bronzestatuette eines Mars mit Schlangen, die Widderhörner tragen. Sie wurde zusammen mit anderen Figurinen bei Southbroom in Wiltshire gefunden

Von Oliver Shepherd 1916 gefertigte Bronzeskulptur, die sich heute im Hauptpostamt der Stadt Dublin befindet. Dargestellt ist der Tod des Cú Chulainn. Die Göttin Morrigán hat sich in Rabengestalt auf der Schulter des Kriegers niedergelassen, um anzuzeigen, daß er tot ist und man sich ihm ohne Gefahr nähern kann. Der Held von Ulster hat sich an einen Baum gebunden, um selbst im Tod noch aufrecht zu stehen

er einem Ungeheuer: sein Leib kreiselt in seiner Haut, sein Haar steht zu Berge und ein Lichtschein umgibt seinen Kopf; seine Muskeln schwellen an, ein Auge quillt hervor, das andere versinkt in seinem Schädel. Sein Geheul läßt alle Geister des Ortes ebenfalls in Geheul ausbrechen, und die Feinde werden wahnsinnig vor Angst.

Zahlreiche Motive verweisen auf Cú Chulainns übernatürlichen Status: er bedient sich der Zauberei, um den Vormarsch der Krieger von Connacht aufzuhalten, er besitzt magische Fähigkeiten, die ihm Macht über Tiere verleihen, und er wird auch mit geheiligten Zahlen in Beziehung gebracht: sein Haar ist von dreierlei Farbe, jedes Auge weist sieben Pupillen auf, und an jedem Fuß und jeder Hand sitzen sieben Zehen oder Finger. Er steht in enger Beziehung zur göttlichen Sphäre: Lugh ist sein Ziehvater (vielleicht sogar sein leiblicher Vater); er hat viele Begegnungen mit der Kriegsgöttin, der Morrigán, und er besucht als Lebender die Anderswelt. Cú Chulainn nimmt am Festmahl des Bricriu, des göttlichen Unruhestifters, teil, der Zwietracht unter den Helden sät und ihre Rivalitätsgefühle weckt. Bei dem Fest sorgt Bricriu dafür, daß Cú Chulainn, Conall Cernach und Loeghaire neidisch aufeinander werden, indem er jedem von ihnen das Stück Schweinefleisch zuspricht, das dem Besten zusteht.

Cú Chulainns Tod bei Magh Muirtheimne wird von düsteren Vorzeichen angekündigt. Als man ihm das Geschirr für die letzte Schlacht anlegt, weint der Graue von Macha blutige Tränen, als Cú Chulainn seinen Streitwagen besteigt, fallen ihm seine Waffen zu Boden. Schließlich begegnet er der ›Wäscherin an der Furt‹, die seine Rüstung säubert – und das ist in inselkeltischen Mythen ein sicheres Zeichen für bevorstehendes Verhängnis. Cú Chulainn stirbt im Kampf, er wird von einem Speer getötet, den Vulkan geschmiedet hat. Der Heldenschein um seinen Kopf verblaßt; als sich eine der Vernichtungsgöttinnen, die Badbh oder die Morrigán, in Gestalt eines Raben auf seine Schulter hockt, erkennen die Krieger von Connacht, daß das Leben aus ihm gewichen ist, und wagen es, an die Leiche heranzutreten und den Kopf vom Rumpf zu trennen.

In seinem großen Streit mit Königin Medb singt Cú Chulainn folgendes Lied, das sich auf Ferghus, den Vermittler, bezieht:

Mein Geschick mit Waffen wird groß.
Auf prächtige sich niederduckende Heere
lasse ich glorreiche Hiebe regnen,
gegen ganze Scharen führe ich Krieg,
um ihren größten Helden zu vernichten
und auch Medb und Ailill,
die Vergehen und roten Haß wachrufen
und schwarze Frauenklage,
die voll des grausamen Verrats marschieren
und ihren größten Helden niedertrampeln,
und seinen weisen, guten Rat –
einen wilden, aufrichtigen Kämpfer,
der viele noble Taten begangen.

Medb und Conchobar

Die verfeindeten Provinzen von Ulster und Connacht werden von Conchobar und von Medb beherrscht. Conchobar ist ein mythischer König, der von seinem Hof Emhain Macha aus regiert. Emhain Macha ist mit Navan Fort in der Nähe von Armagh identifiziert worden. Ausgrabungen haben gezeigt, daß dort zur Hauptbesiedlungszeit, um 700 v. Chr., ein großes rundes Holzgebäude den Mittelpunkt bildete, neben dem sich ein größerer umfriedeter Bezirk befand. Um 100 v. Chr. wurde diese ›königliche‹ Residenz durch eine gewaltige Anlage ersetzt, die religiösen Zeremonien diente oder vielleicht auch ein Heiligtum war: fünf aus Eichenpfählen errichtete Kreise und eine wuchtige Mittelsäule aus dem gleichen Holz, die man aus einer Entfernung von vielen Meilen sehen konnte.
Conchobar wird immer wieder mit Krieg in Zusammenhang gebracht: er verfügt über eine Truppe von Kriegern, die als Ritter vom Roten Zweig bekannt sind und später von Cú Chulainn an-

geführt werden. Außerdem stellt Conchobar eine Einheit von jungen Kämpfern auf, die von Kindheit an in der Kriegskunst unterwiesen werden. Daß er ein geweihter König ist, der von Druiden eingesetzt wurde, belegt ein Vorfall in dem Krieg gegen Connacht: als der Überläufer Ferghus gegen den königlichen Schild schlägt, schreit dieser auf, wie es immer geschieht, wenn ein geweihter Herrscher Irlands in Gefahr ist. Conchobar besitzt selbst die Gabe der Prophetie, doch die meisten Prophezeiungen werden von dem königlichen Druiden Cathbadh abgegeben, der wiederholt Aussagen über Ulsters Zukunft trifft. Er kündigt das Verhängnis an, das Deirdres Schönheit über die Provinz bringen wird (s. S. 72), sieht das glorreiche Leben Cú Chulainns voraus und warnt die Einwohner von Ulster vor der vernichtenden Satire des Dichters Aithirne. Zu Cathbadhs Aufgaben gehört es auch, junge Helden in der Kunst des ›Sehens‹ zu unterrichten, damit sie ermitteln können, welche Tage günstig oder ungünstig für bestimmte Unternehmungen sind.

Conchobar ist eine sehr komplexe Figur. Der König ist mit Cú Chulainn verwandt – entweder ist er dessen Ziehvater oder leiblicher Vater oder auch Großvater – und war mit Medb verheiratet, bevor sie die Herrscherin über Ulster wurde. Er ist kein archetypischer Held; manchmal verstößt er gegen den Ehrenkodex, und sein Verrat an Naoise und seine Grausamkeit gegenüber Deirdre bewirken, daß drei der herausragendsten Krieger Ulsters zum Gegner überlaufen. Conchobars Tod wird durch einen aus dem Kopf des Königs von Leinster, Meas Geaghra, gefertigten ›Hirnball‹ verursacht; einen ›Hirnball‹ stellte man her, indem man das Gehirn eines Menschen mit Kalk vermengte und die Masse dann hart werden ließ. Solch ein merkwürdiges, aber todbringendes Geschoß schleudert Ceat mac Mághach auf den König von Ulster, um sich für erlittenes Unrecht zu rächen.

Medb, ›die Berauschende‹, regiert Connacht wechselweise von Tara und von Cruachain aus. Sie ist eine zu einer historischen Person umgedeutete Göttin. Ursprünglich war sie eine Göttin der Herrschaft, gehörte wohl aber auch zu der Gruppe von Göttinnen des Krieges, der Sexualität und des Bodens, die auf der Insel verehrt wurden. Ihre zügellose Promiskuität soll die Fruchtbarkeit Irlands symbolisieren, und die durch ihren Namen hergestellte Assoziation mit berauschenden Getränken, vor allem mit Met, hat mit der Vorstellung zu tun, daß die Verbindung von Herrschaftsgöttin und sterblichem Herrscher vollzogen wurde, indem die Göttin dem König einen mit einem solchen Getränk gefüllten Kelch reichte. Medbs göttlicher Stand wird auch durch ihre Fähigkeit bezeugt, sich von einem alten Weib in ein junges Mädchen zu verwandeln, eine Fähigkeit, die für die Göttinnen der Insel charakteristisch ist. Wie die anderen Göttinnen hat sie auch die Macht, Zerstörung zu bewirken: sie führt den Tod von Ferghus, Conall Cernach, Cú Chulainn und ihrem Gemahl Ailill herbei. Wenn sie im Krieg in ihrem Wagen um das Schlachtfeld herumfährt, kann das die Kämpfer ›entmannen‹. Sie vermag mit übermenschlicher Geschwindigkeit zu laufen und nennt zwei Tiergeister ihr eigen, einen Vogel und ein Eichhörnchen.

Der große Krieg zwischen Ulster und Connacht wird vor allem durch Medbs Neid auf Ailill verursacht, dessen großen Stier sie begehrt. Ihre Sängerin und Prophetin Fedelma warnt sie, daß ihr Feind Cú Chulainn den größten Teil ihrer Streitmacht vernichten werde. Medb geht daher mit List gegen den Helden von Ulster vor, sie versucht ihn zu bestechen, indem sie ihm ihre Tochter Finnebar überläßt, und greift schließlich auf ihre Zauberkunst zurück, um ihn zu töten. Über ihren eigenen Tod wird in einem Text aus dem 11. Jahrhundert berichtet: sie wird von ihrem Neffen Furbaidhe, dessen Mutter Clothra sie ermordet hat, aus Rache getötet. Die große Göttin und Königin nimmt ein schändliches Ende: sie wird von einem Brocken harten Käses getroffen, den Furbaidhe aus seiner Schleuder auf sie abschießt.

Die Schlachtfurien

Drei Göttinnen begegnen wiederholt in den Texten des Ulster-Zyklus: Macha, die Badbh und die Morrigán. Sie besitzen das gemeinsame Charakteristikum, daß sie sowohl als Einzelerscheinung auftreten können als auch in Dreigestalt. Außerdem stehen sie alle in enger Beziehung zu Tieren. Macha hat eine Affinität zu Pferden, und wie auch die Badbh und die Morrigán vermag sie, ihre menschliche Gestalt abzulegen und die einer Krähe oder eines Raben anzunehmen. Jede der Göttinnen hat mit dem Krieg zu tun, steht aber gleichzeitig auch für sexuelle Promiskuität.
Macha stellte man sich als Einzelgestalt vor und als Gruppe von drei Gestalten, von denen jede bis zu einem gewissen Grad eine eigene Identität hatte. Die erste Macha, die Gattin Memedhs, des Anführers der dritten mythischen Invasion Irlands, ist eine Prophetin, die die Verwüstung des Landes infolge des *Táin*-Streites voraussieht. Die zweite Macha ist eine Kriegerin und Herrscherin über Irland. In ihrer dritten Gestalt ist Macha eine göttliche Braut, die Frau eines Sterblichen namens Crunnchu. Da sie eine gute Läuferin ist, prahlt ihr Mann, sie könne die Pferde des Königs hinter sich zurücklassen. Er muß diese Behauptung beweisen, und obwohl Macha schwanger ist und kurz vor der Niederkunft steht, wird sie gezwungen, zu einem Wettrennen anzutreten. Sie gewinnt dieses Rennen, stirbt aber, während sie Zwillinge gebiert. Mit ihrem letzten Atemzug verflucht sie die Männer von Ulster: in Krisenzeiten sollen sie von einer Schwäche befallen werden, die so stark ist wie die einer Frau, die in den Wehen liegt, und fünf Tage und vier Nächte lang anhält.
Nach Macha ist der königliche Hof von Ulster benannt: »Emhain Macha« bedeutet ›Machas Zwillinge‹. Daß sie zu Pferden in besonderer Beziehung steht, wird nicht nur durch ihre außergewöhnliche Schnelligkeit ausgedrückt, sondern auch durch den Namen von Cú Chulainns Pferd, ›Grauer von Macha‹. Sie ist eine komplexe Figur: Prophetin, Kriegerin, Herrscherin aber auch Göttin der Herrschaft und der Fruchtbarkeit – und als solche aufs engste mit dem Geschick des Landes selbst verbunden.

Die Badbh ist im wesentlichen eine Göttin des Kampfes und der Zerstörung. Ihr Name beschwört Vorstellungen von Gewalt, Raserei und Krieg herauf. Wie die Morrigán kann sie in Gestalt einer Frau oder einer Krähe auftreten; einer ihrer Namen ist Badbh Catha, ›Schlachtkrähe‹. Auf dem Schlachtfeld übt sie auf psychi-

Gallo-römischer bronzener Stier mit drei Hörnern aus Glanum in Südfrankreich

schem Wege Macht aus: ihre Gegenwart verwirrt die Soldaten und versetzt sie in Schrecken. Auf diese Weise richtet sie vor allem unter den Kriegern von Connacht Verwüstungen an. Als Prophetin sagt sie Verhängnis und Tod voraus. Sie unterstützt Cú Chulainn im Kampf, läßt sich dann aber in ihrer Vogelgestalt auf ihm nieder, als er im Sterben liegt. Sie tritt auch als ›Wäscherin an der Furt‹ in Erscheinung, die die Waffen des Kriegers säubert, der bald darauf im Kampf fallen wird. In der *Geschichte von Da Dergas Herberge* tritt sie dem zum Untergang verurteilten König Conaire in der Gestalt von drei krähenähnlichen alten Weibern gegenüber: ihre beiden üblichen Erscheinungsweisen, als Frau oder als Vogel, sind hier miteinander verschmolzen.

Die Morrigán, die ›Phantomkönigin‹, hat große Ähnlichkeit mit der Badbh. Sie steht in enger Verbindung mit Cú Chulainn. Bei einer Gelegenheit tritt sie ihm als wunderschönes Mädchen entgegen, aber der Held brennt darauf, in den Kampf zu ziehen, und wehrt ihre Annäherungsversuche brüsk ab. Aus Rache greift die Morrigán ihn an, wobei sie sich rasend schnell von einem Aal in einen Wolf und dann in eine rote Kuh verwandelt. Cú Chulainn besiegt sie, ist aber nach dem Kampf völlig entkräftet. Die Morrigán erscheint ihm daraufhin in Gestalt einer alten Frau, die eine Kuh melkt, und bietet ihm Milch an. Zum Dank dafür segnet Cú Chulainn sie und heilt ihre Wunden. Wie die Badbh tritt auch die Morrigán am häufigsten als Todeskrähe in Erscheinung und sagt so den Tod auf dem Schlachtfeld voraus. In ihrer Vogelgestalt kündigt sie auch dem Donn von Cuailnge an, daß er sterben wird. Als Schlachtfurie entmutigt sie die Krieger, und wie die Badbh ist sie als ›Wäscherin an der Furt‹ eine Todesbotin. Sie prophezeit aber nicht nur Unheilvolles; in einer Episode sehen wir sie dem Dagdha Ratschläge geben, wie man die Oberhand über die Fomori, die Feinde der Tuatha Dé, gewinnen kann.
Die Morrigán steht nicht nur für Tod im Kampf, sondern auch für Sexualität. Sie kopuliert mit dem Stammesgott, dem Daghda, während sie mit gespreizten Beinen auf einem Fluß sitzt. Ein irischer Ortsname lautet heute noch ›The Paps of the Morrigán‹ (›Die Zitzen der Morrigán‹). Sie ist eine Fruchtbarkeitsgöttin, und ihre Vereinigung mit dem Gott des Stammes weist darauf hin, daß sie auch eine Göttin der Herrschaft ist und als solche Irland selbst verkörpert.

Einige frühe walisische Mythen

Die Mythologie der frühen walisischen Kelten ist in für uns erkennbarer Form nur in den *Vier Zweigen des Mabinogi*, der *Geschichte von Culhwch und Olwen* und dem *Traum von Rhonabwy* überliefert; dazu kommen noch einige wenige Fragmente wie Taliesins Gedicht *Die Kriegsbeute von Annwn*.

Die Geschichten, die in diesen ersten in der Landessprache abgefaßten Sammlungen enthalten sind, handeln immer wieder von übernatürlichen Personen und Ereignissen: göttergleichen Helden, verzauberten Tieren und magischen Geschehnissen. Manchmal kann man unter der Oberfläche eine tiefergehende Kosmogonie entdecken, Schöpfungsmythen oder Geschichten, in denen natürliche Phänomene auf das Einwirken übernatürlicher Mächte zurückgeführt werden.

Pwyll, Arawn, Rhiannon und Pryderi

Der erste Zweig des *Mabinogi* enthält die Geschichte von Pwyll, dem Herrn von Llys Arberth (Narberth), seiner Frau Rhiannon und ihrem gemeinsamen Sohn Pryderi, sowie die Geschichte der Begegnung von Pwyll mit Arawn, dem Herrn von Annwn, der walisischen Anderswelt. Von dem Zusammentreffen Pwylls mit Arawn erzählt die erste Episode: Als Pwyll eines Tages auf Hirschjagd ist, verstößt er gegen den Ehrenkodex, indem er sich ein von einem anderen Jäger getötetes Tier aneignet. Die Hunde dieses Rivalen sind merkwürdige Kreaturen: sie haben ein weißglänzendes Fell und rote Ohren; diese Farben weisen sie als Geschöpfe aus, die der Anderswelt angehören. (Dieselbe Farbsymbolik begegnet auch in anderen walisischen und irischen Mythen.) Der Jäger, dem das Unrecht angetan wurde, ist Arawn. Pwyll kann sein Vergehen nur durch einen Rollentausch wiedergutmachen: für ein Jahr muß er die Stelle Arawns einnehmen, während dieser an die seine tritt. Am Ende dieser Zeitspanne muß Pwyll Arawns Feind in der Anderswelt, Hafgan, gegenübertreten und ihn im Kampf töten. Danach soll er nach Glyn Cuch, den Ort seiner Missetat, zurückkehren und dort wieder mit Arawn zusammentreffen. Arawn warnt Pwyll, daß er Hafgan nur einen einzigen Hieb versetzen dürfe; wenn er ihn zweimal verwunde, werde dieser sich wieder erholen und doppelt so stark sein wie zuvor.

Ein wichtiges Motiv dieser Geschichte ist, daß sowohl Pwyll als auch Arawn sich im Hause des jeweils anderen keusch verhalten; keiner von beiden rührt die Frau des andern an. Pwyll hält sein Versprechen und tötet am Ende des Jahres Hafgan. Er und Arawn kehren in ihren jeweiligen Herrschaftsbereich zurück und bleiben einander fortan in enger Freundschaft verbunden. Nach Pwylls Tod hält sein Sohn Pryderi dieses Verhältnis aufrecht und empfängt von Arawn ein wertvolles Geschenk: die ersten Schweine, die es jemals in Wales gegeben hat. Nach seinem Aufenthalt in Annwn wird Pwyll selbst »Herr der Anderswelt« genannt, ein deutliches Zeichen dafür, daß er göttlichen Status erlangt hat.

Diese Episode ist von besonderer Bedeutung, da in ihr eine Reihe von Motiven eingeführt werden, die in volkssprachlichen Mythen immer wieder begegnen: die Fähigkeit bestimmter Menschen, zu Lebzeiten in die Unterwelt vorzudringen; das Angewiesensein von Geschöpfen der Unterwelt auf Sterbliche für die Erledigung bestimmter Aufgaben; der Einsatz von Tieren, um den Kontakt zwischen der natürlichen und der übernatürlichen Welt herzustellen.

Die zweite signifikante – und sehr »symbolträchtige« – Episode des Ersten Zweigs handelt von Pwyll und Rhiannon. Als er sich in Gorsedd Arberth, einem magischen Versammlungsplatz des königlichen Hofstaates, aufhält, erblickt Pwyll eine schöne, in

Kleider von strahlendem Gold gehüllte junge Frau, die ein großes, weißglänzendes Pferd reitet, und fühlt sich sofort stark zu ihr hingezogen. Aber obwohl das Pferd sich recht langsam bewegt, können weder Pwyll noch seine schnellsten Reiter es einholen. Verzweifelt ruft Pwyll die Frau an, die unverzüglich anhält und mit ihm spricht; sie stellt sich als Rhiannon vor und teilt ihm mit, daß sie gekommen sei, um ihn, Pwyll, zu heiraten, da sie ihn ihrem Verehrer Gwawl vorziehe. Pwyll gewinnt Rhiannon seinem Rivalen durch List ab – eine Tat, deren Auswirkungen später noch im *Mabinogi* dargestellt werden –, sie heiraten und zeugen einen Sohn, Pryderi.

Rhiannon ist schon an sich eine interessante mythische Gestalt. Ihr Name geht möglicherweise auf den der heidnischen Göttin Rigantona, ›Große – oder Heilige – Königin‹, zurück. Die Art und Weise, wie sie mit Pwyll zusammentrifft, verrät, ebenso wie ihre Verbindung mit Pferden, daß sie etwas Übernatürliches an sich hat. Weil sie angeblich ihren kleinen Sohn ermordet habe (dazu im folgenden Absatz), muß sie Buße tun, indem sie sieben Jahre lang vor den Eingangstoren des Königshofes an der Stelle sitzt, wo man die Pferde anbindet, und Besuchern anbietet, sie auf ihrem Rücken wie ein Lasttier zum Palast hinauf zu tragen. Rhiannon entspricht zwei archetypischen Figuren: Die Großzügigkeit, die sie gegenüber den Adeligen von Llys Arberth an den Tag legt, als Pwyll sie bei Hofe einführt, läßt sie als gnädige, gütige Gottkönigin erscheinen; weil sie fälschlicherweise bezichtigt wird, ihren Sohn getötet zu haben, verkörpert sie aber auch den Typus der ungerecht behandelten Frau. Ihre enge Verknüpfung mit Pferden und die mit ihr verbundene Vorstellung von Großzügigkeit und Fülle haben einige Wissenschaftler dazu veranlaßt, sie mit der keltischen Pferdegöttin Epona gleichzusetzen.

Pryderi ist von Geburt an von einer Aura des Geheimnisvollen und Übernatürlichen umgeben. Als er drei ›Nächte‹ alt ist, wird er, als seine Wärterinnen eingeschlafen sind, gestohlen, und Rhiannon wird zu Unrecht beschuldigt, ihn getötet zu haben. Der Schauplatz verlagert sich dann von Llys Arberth zum Wohnsitz von Teyrnon Twryf Liant, dem Herren von Gwent Is-Coed. Dort

Epona auf einem römisch-keltischen Relief aus Kastel in Deutschland. Die Göttin hält Früchte in der Hand; sie war nicht nur eine Pferdegöttin, sondern sorgte auch für Fülle und Überfluß

spielen sich jedes Jahr am Vorabend des 1. Mai rätselhafte Ereignisse ab: Teyrnons Stute wirft ein Fohlen, das sofort nach der Geburt wieder verschwindet. Zu der gleichen Zeit, da Pryderi in Llys Arberth verlorengeht, hält Teyrnon Wache in seinem Stall. Die Stute bringt ihr schönstes Fohlen zur Welt, aber vor Teyrnons Augen erscheint plötzlich ein Arm mit einer riesigen Klaue, ergreift das Fohlen und zieht es durch das Fenster nach draußen. Teyrnon schlägt den Arm ab und rettet so sein Fohlen, er vernimmt aber im gleichen Augenblick draußen einen Schrei und Getöse. Er rennt aus dem Stall, um der Sache nachzugehen, es ist

aber zu dunkel, um etwas zu erkennen. Als er zum Stall zurückkehrt, findet er auf der Türschwelle einen kleinen Jungen vor, der in ein seidenes Tuch gewickelt ist, wodurch deutlich wird, daß er von edler Abkunft ist.
Teyrnon und seine Frau ziehen den Jungen auf, der in unglaublich kurzer Zeit wächst und seinem Alter weit voraus ist. Als er drei Jahre alt ist, erhält er das Fohlen zum Geschenk. Als er vier ist, fällt seinen Zieheltern seine verblüffende Ähnlichkeit mit Pwyll auf, und da sie die Geschichte vom Verschwinden des Prinzen gehört haben, kommen sie zu dem Schluß, daß ihr Kind Pryderi sein muß. Der Junge wird Pwyll und Rhiannon zurückgegeben, und der Jubel ist groß.
Die Geschichte Pryderis enthält eine ganze Reihe von mythischen Motiven: er verschwindet in der Nacht zum 1. Mai, dem Tag des großen Frühlingsfestes Beltene. Seine ersten Lebensjahre sind eng mit denen des Fohlens verbunden, das ebenfalls am Vorabend von Beltene entführt werden sollte. Mit der Entführung in der dritten Nacht nach seiner Geburt entspricht Pryderis Schicksal aufs genaueste dem des jungen Mabon, des walisischen Jagdgottes aus *Culhwch und Olwen* (s. S. 65). Keltische Zeugungsgeschichten dieser Art, in denen merkwürdige Begebenheiten dargestellt werden, sollten möglicherweise der Geburt eine transzendentale Bedeutung unterlegen: das Kind wird zwar von sterblichen Eltern gezeugt, ist aber gleichzeitig die Inkarnation einer übernatürlichen Wesenheit. (Ähnlich geheimnisvoll ist ja auch die Geburt Christi.) Pwyll, Rhiannon und Pryderi besitzen ganz deutlich göttliche Züge, wenn auch ihr Status nie genau definiert wird.

Branwen und Bendigeidfran

Die Familie MacLlyr von Harlech steht im Mittelpunkt des zweiten und dritten Zweiges des *Mabinogi*. Durch das Patronymikon, den Vatersnamen, MacLlyr – ›Sohn der See‹ – wird ihr göttlicher Status angedeutet; durch den Namen wird eine Verwandtschaft zu dem irischen Gott Lir hergestellt. Die Hauptfiguren des Zweiten

Zweiges sind Branwen und ihr Bruder Bendigeidfran, ›Bran, der Gesegnete‹. »Bran« bedeutet ›Rabe‹ oder ›Krähe‹. Obwohl der Zweig nach Branwen benannt ist, und sie im Text als eine der drei bedeutendsten Herrinnen des Landes bezeichnet wird, ist die dominierende Gestalt die des mit übermenschlichen Eigenschaften ausgestatteten Bran.

Die Erzählung beginnt mit der Verlobung Branwens mit Matholwch, dem König von Irland. Branwens Bruder Efnisien ist gegen die Verbindung und beleidigt den König, indem er dessen Pferde verstümmelt, während sie am königlichen Hof von Harlech im Stall stehen. Matholwch läßt sich aber offenbar durch die Geschenke, die Bendigeidfran ihm macht, versöhnen; das größte dieser Geschenke ist ein in Irland hergestellter magischer Kessel, in dem tote Krieger wieder zum Leben erweckt werden. Branwen segelt mit Matholwch nach Irland, aber der König hat die ihm angetane Schmach nicht vergessen, und er behandelt seine Königin wie eine Leibeigene: er verurteilt sie dazu, in der Küche zu arbeiten, wo sie jeden Tag vom Schlachter geohrfeigt wird. Matholwch trägt dafür Sorge, daß nichts über diese Quälerei nach Wales dringt, aber Branwen nimmt ihr Schicksal in die eigene Hand. Sie zähmt einen Star und bindet ihm eine Nachricht um den Hals, die er zu ihrem Bruder trägt. Sofort nachdem Bendigeidfran von den Leiden seiner Schwester erfahren hat, zieht er seine Streitmacht zusammen und beginnt einen Krieg gegen Irland.

Bendigeidfran, von dem es heißt, er sei so groß, daß kein Haus ihn aufnehmen könne, watet einfach durch die Irische See. Es kommt zur Schlacht, in der die walisischen Truppen triumphieren. Sie erzielen jedoch einen Pyrrhussieg, da Bendigeidfran von einem vergifteten Speer tödlich verwundet wird. Daß er von übernatürlicher Art ist, zeigt sich darin, daß er seinen Männern befiehlt, ihm den Kopf abzuschneiden und ihn zum White Mount in London zu bringen: dort sollen sie ihn mit dem Gesicht nach Osten begraben, kein Fremder könne dann Britannien besetzen. Brans Männer unterbrechen ihren Zug nach London zuerst in Harlech, wo sie sich sieben Jahre lang aufhalten, und dann in Gwales, der Anderswelt der Glückseligen, wo sie viele weitere Jahre verbringen und die drei Zaubervögel Rhiannons singen hören. Brans Kopf besitzt wundersame Eigenschaften; er lebt weiter, spricht mit seinen Männern und bleibt ein starker Talisman, bis er schließlich in der Erde versenkt wird. Branwen klagt im walisischen Aber Alaw lange darüber, daß ihretwegen zwei große Inselreiche zerstört worden sind, und stirbt schließlich an gebrochenem Herzen.

Eine aus Bronze gefertigte Gruppe von Jägern mit einem Wildschwein und einem Hirsch aus Balzars in Liechtenstein (3. Jh. v. Chr.). Die Männer sind wie Soldaten gekleidet, die Tiere haben übertrieben große Hauer und Geweihstangen

Auch in dieser Geschichte wird immer wieder Übernatürliches dargestellt: Brans Größe und Stärke, die Macht des abgetrennten Kopfes, der Kessel der Wiederauferstehung, und die Gabe gewisser Menschen, sich die Hilfe von Tieren zu verschaffen. Alle diese Vorstellungen finden Entsprechungen in irischen Mythen und in der keltischen Ikonographie.

Manawydan und die Verzauberung Dyfeds

Manawydan mac Llyr ist ein Bruder von Branwen und Bran. Er ist mit dem irischen Meeresgott Manannán, dem Sohn des Lir, verwandt. Die Verbindung Manawydans zum Meer wird in dem walisischen Mythos nicht entwickelt, aber er und Manannán tragen gemeinsame Züge: beide beherrschen die Kunst der Magie und sind bekannt für ihre Listigkeit. Die Gestalt Manawydans wird im dritten Zweig des *Mabinogi* ausgearbeitet, dem sie auch den Namen gibt. Er wird als Zauberer dargestellt, er ist listenreich und ein äußerst geschickter Handwerker. Außerdem wird erwähnt, daß er Weizen anbaut; möglicherweise handelt es sich um eine mythische Erklärung für den Beginn des Ackerbaus in Wales.

Manawydan heiratet nach Pwylls Tod dessen Witwe Rhiannon. Nach einem Fest in Llys Arberth begibt sich das Paar in Begleitung von Pryderi und dessen Gemahlin Cigfa nach Südwales. Die vier werden Zeuge, wie die Region Dyfed verzaubert wird: alle Siedlungen und Einwohner des Gebietes verschwinden, und die Landschaft ist in einen magischen Nebel eingehüllt. Da in Dyfed nichts mehr existiert, reisen die vier nach England, wo Manawydan und Pryderi sich als Handwerker, als Sattler oder Schuster, niederlassen wollen. Wo immer aber sie auch hingehen, ruft Manawydans große Geschicklichkeit den Neid und die Mißgunst der anderen Handwerker hervor, und sie werden aus einer Stadt nach der anderen vertrieben. Sie kehren daher wieder nach Dyfed zurück, wo sie sich durch die Jagd am Leben erhalten. Auf einem Jagdzug begegnen Manawydan und Pryderi einem riesigen Wildeber, dessen glänzend weißes Fell verrät, daß er der Anderswelt angehört. Dieses Geschöpf lockt die Jagdhunde in ein merkwürdiges Schloß, das die Jäger noch nie gesehen haben. Obwohl Manawydan Böses voraussieht und Pryderi warnt, folgt dieser den Hunden und wird verzaubert. In dem Schloß berührt er eine schöne goldene Schale, die an Ketten von oben herabhängt, und bleibt an ihr haften. Seine Füße sind im Erdboden verwurzelt, und er kann nicht mehr sprechen. Als Rhiannon von seinem

Schicksal erfährt, begibt sie sich zu ihm und erliegt ebenfalls dem Bann.
Seiner Hunde beraubt, kann Manawydan nicht mehr jagen, und er beginnt, statt dessen Weizen anzubauen. Das Getreide gedeiht, aber unmittelbar vor der Ernte werden zwei Felder von einer Heerschar von Mäusen verwüstet. Manawydan legt sich bei dem dritten Feld auf die Lauer; alle Angreifer entkommen ihm bis auf eine schwangere Maus, die langsamer als die anderen ist. Manawydan beginnt darauf mit einem bizarren Hinrichtungsprozeß: er ist entschlossen, die Maus aufzuhängen, und ignoriert alle Aufforderungen, Gnade walten zu lassen, die Vorüberkommende an ihn richten. Schließlich werden seine Vorbereitungen von einem Bischof unterbrochen, der die Maus zu retten versucht. Manawydan weigert sich jedoch, auf dessen Bitten einzugehen, wenn er ihm nicht bestimmte Forderungen erfüllt: Pryderi und Rhiannon müssen erlöst werden, und der Zauber muß von den sieben ›Cantrefs‹ von Dyfed genommen werden. (Ein Cantref war eine Gruppe von 100 Gehöften.) Manawydan hat also erfaßt, daß der Bischof wie er selbst ein Magier ist. Der Fremde akzeptiert die Forderungen und gibt sich als ein gewisser Llwyd zu erkennen, der die Verzauberungen bewirkt hat, um Rhiannons Freier Gwawl zu rächen, dem ein Unrecht geschehen war, als man ihm die Braut raubte. Die Maus ist Llwyds verwandelte Gemahlin, die mit ihren ebenfalls verwandelten Hofdamen ausgeschickt wurde, um Manawydans Getreide zu vernichten. Der Bann wird von Dyfed genommen, und die Maus erhält ihre menschliche Gestalt zurück: Manawydans Zauberkraft hat sich als die stärkere erwiesen.

Math, Gwydion, Lleu und Blodeuwedd

Der vierte Zweig des *Mabinogi* handelt von Gwynedd und der göttlichen Dynastie der Don. Die Geschichte von Math, dem Herrn von Gwynedd, geht möglicherweise auf eine sehr alte Erzählung zurück, einen Mythos von der Schöpfung und vom Sündenfall der vorchristlichen Kelten. Das erklärt vielleicht auch die merkwürdige Beschreibung, die von Math selbst gegeben wird: wenn er nicht Krieg führt, muß er dasitzen und seine Füße in den Schoß einer Jungfrau betten. Die Jungfräulichkeit der Fußhalterin ist unabdingbar, Maths Leben hängt davon ab:

> Zu jener Zeit konnte Math, der Sohn von Mathonwy, nicht leben, wenn er seine Füße nicht in den Schoß einer Jungfrau bettete, es sei denn, die Unruhen eines Krieges hinderten ihn daran.

Die wahrscheinlichste Interpretation dieses Motivs ist, daß eine Art von sakralem Königtum dargestellt werden soll und man sich die Lebenskraft des Landes als in der Jungfrau mit ihrer gezügelten und reinen Sexualität versammelt vorstellte. Möglicherweise gibt es eine Parallele zu dem irischen Motiv von der rituellen Vermählung eines sterblichen Königs mit der Göttin der Herrschaft, der personifizierten Macht und Kraft des Bodens, die sicherstellt, daß das Land blüht und gedeiht. Wenn Maths Verbindung mit der Jungfrau von ähnlicher Bedeutung für das Wohlergehen des Landes ist, kann die Tatsache, daß der Krieg ihn aus diesen Banden löst, ausdrücken, daß man das Kriegführen als etwas ansah, das eine Lebenskraft eigener Art hervorbrachte.

In ›Math‹ wird vom Ausbruch eines Krieges zwischen Gwynedd und Dyfed berichtet; verantwortlich dafür ist Maths Neffe Gwydion, der mit Hilfe seiner Zauberkunst Pryderis Schweine, das Geschenk von Arawn, dem König von Annwn, stiehlt. Gwydions Bruder Gilfaethy begehrt Maths Fußhalterin Goewin, und während Math auf dem Schlachtfeld steht, konspirieren die beiden Brüder miteinander, um sie ihrer Jungfräulichkeit zu berauben. Die Vergewaltigung Goewins wird von einigen Wissenschaftlern mit dem Sündenfall Adams und Evas verglichen – beides sind Handlungen, die der Menschheit Kummer und Sorgen bringen. Als Math an seinen Hof zurückkehrt, gerät er außer sich vor Wut und straft die Brüder; in drei aufeinanderfolgenden Jahren müssen sie die Gestalt von Tieren annehmen: im ersten Jahr die eines Hirsches und einer Hirschkuh, im zweiten die eines Wildschweinkeilers und einer Sau, im dritten die eines Wolfs und einer Wölfin. Abwechselnd werden die Brüder in das männliche und in das weibliche Tier verwandelt, und in jedem Jahr bringen sie Junge zur Welt. Diesen Kindern verleiht Math die menschliche Gestalt, aber sie behalten ihre Tiernamen und damit die Verwandtschaft zur ungezähmten Natur:

Die drei Söhne des falschen Gilfaethy,
Drei aufrechte Recken,
Bleiddwn, Hyddwn, Hychdwn.

Die zweite wichtige Episode von ›Math‹ handelt von Arianrhod und ihrem Sohn. Arianrhod bewirbt sich bei Math um die freie Stelle der jungfräulichen Fußhalterin, sie besteht aber die Prüfung auf ihre Reinheit nicht: als sie über Maths Zauberstab schreitet, gebiert sie zwei Söhne. Im Mittelpunkt der Geschichte steht vor allem das Schicksal des zweiten Sohnes, der von seiner Mutter mit drei Flüchen belegt wird: erstens soll er keinen Namen tragen, wenn sie nicht bereit ist, ihm einen zu verleihen; zweitens soll er keine Waffen tragen, wenn sie ihn nicht selbst ausrüstet; drittens soll er keine sterbliche Frau besitzen. Der Zauberer Gwydion bringt Arianrhod mit List dazu, dem Jungen einen Namen zu geben – Lleu Llaw Gyffes, »Der Glänzende mit der geschickten Hand« – und ihn zu bewaffnen. Gemeinsam mit Math erschafft er auch aus den Blüten der Eiche, des Ginsters und des Gänseblümchens eine Frau für Lleu, die den Namen Blodeuwedd erhält.
Seit er von seiner Mutter geboren wurde, die offensichtlich Jungfrau war, ist Lleu von Geheimnissen und Widersprüchen umgeben. Aufschlußreich ist, welches Schicksal ihm seine ihm feindselig gesonnene Mutter auferlegen will: sie verweigert ihm einen Namen, Waffen und eine Frau, das heißt, sie schließt ihn von den drei Übergangsritualen aus, die einen Knaben zu einem Mann machen, und nur mit Hilfe von Gwydions Magie kann Lleu Reife erlangen.
Von Lleu heißt es, daß er weder in einem Haus noch im Freien getötet werden kann, weder auf dem Land noch auf dem Wasser,

weder wenn er bekleidet noch wenn er nackt ist, und nur durch einen Speer, der zu einer Zeit angefertigt wurde, in der jegliche Arbeit verboten ist. Solch ein ›schwieriger‹ Tod kann gewöhnlich nur durch den Verrat einer Frau herbeigeführt werden, und so ist es auch hier. Blodeuwedd, die ohne Wurzeln und daher ohne Moral geboren wurde, erweist sich als treulos; sie und ihr Liebhaber Gronw Pebyr schmieden ein Komplott, um Lleu zu ermorden. Blodeuwedd soll ihrem Mann das Geheimnis entlocken, wie er getötet werden kann. Lleu verrät ihr, daß er nur verwundbar ist, wenn der eine Fuß auf dem Rücken eines Ziegenbocks und der andere auf dem Rand eines Kessels ruht. Als Lleu tatsächlich, um sie seiner Frau zu demonstrieren, diese Stellung einnimmt, stößt der in einem Versteck lauernde Gronw mit einem Speer zu, aber anstatt zu sterben, schreit Lleu auf und verwandelt sich in einen Adler, der auf einen Eichbaum fliegt. Auf diesem Baum findet ihn Gwydion, er lockt ihn mit einem Lied herunter und gibt ihm seine menschliche Gestalt wieder. Blodeuwedd hingegen bestraft er, indem er sie in eine Eule verwandelt, die von allen anderen Vögeln gemieden wird und dazu verdammt ist, des Nachts allein zu jagen.

Die Gestalt Lleus geht vermutlich auf einen alten britischen Gott zurück, der mit dem irischen Lugh verwandt sein könnte. Beide tragen einen Namen, mit dem die Vorstellung von ›Licht‹ assoziiert ist. Seine Geburt von einer Jungfrau, sein besonderes Schicksal, seine Unsterblichkeit, aber auch die Fürsorge, mit der der Zauberer Gwydion ihn beschützt, zeigen, daß er göttlichen Status hat. Täuschung, Rätsel und Paradox, auf denen die Geschichte von ›Math‹ beruht, sind Mittel, auf die in vielen Mythen zurückgegriffen wird und die man in der irischen Sagentradition ebenso findet wie in griechischen und römischen Göttersagen.

Culhwch, Olwen und Twrch Trwyth

In *Culhwch und Olwen* ist das Übernatürliche allgegenwärtig: in diesem Text kommen Geschöpfe vor, deren göttliche Natur unzweifelhaft ist. Mabon (»Göttlicher Jäger«) ist ein Jagdgott; seine Mutter ist Modron. Der Name bedeutet ganz einfach »Mutter«, und möglicherweise haben wir hier einen Hinweis auf einen walisischen Muttergöttinnen-Kult. Ähnlich wie Pryderi wurde Mabon gestohlen, als er drei Nächte alt war. Eine irische Parallelgestalt zu dem archetypischen ›jungen Mann‹, den Mabon darstellt, ist Oenghus. In *Culhwch und Olwen* tritt auch Gofannon, der Schmiedegott, auf, der mit dem irischen Goibnhiu, dem göttlichen Schmied der Tuatha Dé Dannan, verwandt ist.

Culhwch ist von königlichem Geblüt und ein Vetter von Arthur. Sowohl sein Name als auch die Umstände seiner Geburt weisen auf eine Verwandtschaft zu bestimmten Tieren hin: als sie mit ihm schwanger ist, entwickelt seine Mutter eine heftige Abneigung gegenüber Schweinen, und als sie an einer Herde dieser Tiere vorbeikommt, gebiert sie aus lauter Angst ihren Sohn und flüchtet dann ohne ihn. Das Kind wird von dem Schweinehüter gefunden, der es Culhwch, »Schweinekoben«, nennt und zu seinen Eltern Cilydd und Goleuddyd zurückbringt. Die Verbindung zwischen seiner Geburt und Tieren verrät – ähnlich wie im Fall Pryderis und des Fohlens – das Einwirken übernatürlicher Mächte.

Goleuddyd stirbt, und Cilydd heiratet wieder: seine neue Gemahlin hat eine Tochter, die sie mit Culhwch verheiraten will, aber er weigert sich aufgrund seines jugendlichen Alters. Die Königin verflucht daraufhin den Jungen und verkündet, daß die einzige Frau, die er jemals heiraten wird, Olwen sein wird, die Tochter von Ysbaddaden, dem Obersten der Riesen. Als Culhwch den Namen Olwens hört, entbrennt er sofort in leidenschaftlicher Liebe zu ihr und schwört, daß er sich auf die Suche nach ihr machen wird. Cilydd schlägt vor, daß er zunächst Arthur aufsuchen soll, um sich die Haare schneiden zu lassen: das war ein Initiationsritus, durch den ein Jüngling in den Kreis der Männer aufgenommen wurde. Culhwch macht sich auf den Weg, in seiner ganzen Pracht wirkt er wie ein junger Gott oder Held, eine leuchtende Aura umgibt seinen Kopf, bewaffnet ist er mit einer Streitaxt, einem goldenen Schwert und einem Kriegsbeil, das »die Luft bluten machen« kann. Er ist mit einem elfenbeinernen Jagdhorn ausgestattet, sitzt auf einer großen grauen Stute, und zwei Windhunde begleiten ihn. Als Culhwch am Hof von Arthur ankommt, offenbart sich sein übermenschlicher, gottähnlicher Status: der Torwächter ver-

Bronzenes Wildschwein, das im Lexden-Tumulus, dem Grab eines britischen Stammeshäuptlings in der Nähe von Colchester, gefunden wurde (Ende des 1. Jh.s v. Chr. oder Anfang des 1. Jh.s n. Chr.). Das Tier hat einen hochgestellten Rückenkamm, was Angriffslust und Wildheit ausdrücken soll

weigert dem unangemeldeten Ankömmling den Eintritt; der Held droht darauf, drei Schreie auszustoßen, die die Frauen unfruchtbar machen und bei den Schwangeren Fehlgeburten auslösen würden. (Vermutlich ist damit angedeutet, daß er auch Arthurs Herden und das Ackerland unfruchtbar machen kann.)

Culhwch überredet Arthur dazu, ihm bei der Suche nach Olwen zu helfen, und die Geschichte nimmt jetzt die Züge eines typischen ›Quest Tale‹ an, wie es etwa auch die verschiedenen Erzählungen von der Suche nach dem Heiligen Gral verkörpern. Nach einem Jahr wird Olwen ausfindig gemacht, und sie erfährt von Culhwchs Liebe zu ihr. Ihre ganze Erscheinung und der schwere, goldene Torques, der Halsreif, den sie trägt, zeigen ihre hohe Stellung an. Olwen erklärt, ihr Vater werde nie in eine Verbindung seiner Tochter mit einem Mann einwilligen, da ihre Heirat seinen eigenen Tod zur Folge haben müsse. Trotzdem tritt Culhwch an Ysbaddaden heran und erhält von diesem eine Reihe von nicht zu bewältigenden Aufgaben gestellt, die er erfüllen muß, um Olwen für sich zu gewinnen.

Die Ausführung dieser Aufgaben – man wird an die Taten des Herkules erinnert – bilden das Kernstück des Mythos: Culhwch muß eine Schere, ein Rasiermesser und einen Kamm zwischen den Ohren von Twrch Trwyth hervorholen, einem riesigen, mörderischen wilden Eber, der einst ein König war und zusammen mit seinen Gefolgsleuten von Gott (dies ist die Erklärung des Mönchs, der die Sage aufschrieb) als Strafe für seine bösen Taten verwandelt wurde. Wie in ›Math‹ begegnet hier also das Motiv der Verwandlung, mit der Rechtsbrecher bestraft werden. Um den großen Eber aufzuspüren, müssen Culhwch und Arthur erst die Hilfe von Mabon, dem Jäger, gewinnen. Mabon ist jedoch, seitdem er als Kind seiner Mutter gestohlen wurde, spurlos verschwunden. Er sitzt in Gloucester Castle im Kerker, und als er endlich aus dieser magischen Gefangenschaft befreit wird, ist er das älteste aller lebenden Wesen – eine paradoxe Situation für jemanden, dessen Name ›der Jugendliche‹ lautet. In dieser Binnenerzählung, der Geschichte der Suche nach Mabon, stehen die ältesten Tiere der Erde Arthur und Culhwch bei, darunter der Adler von Gwernabwy, der Hirsch von Rhedenure, der Lachs von Llyn Llaw. Einer von Arthurs Männern, Gwrhyr, vermag sich mit diesen Zauberwesen in ihrer eigenen Sprache zu verständigen. Mit der Hilfe Mabons wird Twrch Trwyth nach einer Jagd, die durch Südwales, Cornwall und Irland führt, schließlich überwältigt. Culhwch überbringt das Rasiermesser, die Schere und den Kamm und kann Olwen endlich heiraten.

Das Übernatürliche manifestiert sich sehr deutlich in der Geschichte von *Culhwch und Olwen*. Das Motiv seiner Verbindung mit Schweinen, die Culhwch durch seine Geburt auferlegt wird, wird in dem abschließenden Kampf mit dem Eber wieder aufgenommen. Tiere spielen überhaupt eine große Rolle: verzauberte und verwandelte Tiere tragen wesentlich zum Erfolg der Suche bei. Mabon, der Jäger, und Modron sind eindeutig göttliche Wesen. Daß auch Culhwch von übernatürlicher Art ist, wird vor allem dadurch offenbar, daß er Arthurs gesamtes Reich bedrohen kann, indem er es mit dem Fluch der Unfruchtbarkeit belegt.

Die göttlichen Liebhaber

In vielen keltischen Mythen wird von der Liebe zwischen zwei übernatürlichen Wesen oder einem göttlichen und einem sterblichen Geschöpf erzählt. Oft haben diese Liebesverhältnisse verheerende Folgen. Häufig begegnet die Dreierkonstellation von junger Frau, jugendlichem Liebhaber und erfolglosem – meist älterem – Verehrer; die Eifersucht der Rivalen wirkt sich zerstörerisch auf das Land und das Gemeinwesen aus. Ein Thema irischer Mythen ist auch das der Vereinigung einer Göttin mit einem sterblichen König, die dazu diente, das Wohlergehen des Landes zu fördern. Archäologische Funde belegen, daß Liebe und Ehe zwischen Göttern auch Thema der darstellenden Kunst der heidnischen Kelten waren. Viele Inschriften beziehen sich darauf und zeigen, daß solche göttlichen Paare verehrt wurden. In den alten Kulten scheint die Partnerschaft an sich symbolische Bedeutung gehabt zu haben, das heißt als etwas angesehen worden zu sein, das Harmonie und Prosperität hervorbrachte.

Liebe und Eifersucht in irischen Mythen

Midhir und Étain

Im *Buch der Invasionen* wird Midhir als Herr des Sídh von Bri Léith, einem der ›Feen-Hügel‹ der Tuatha Dé Danann in der Anderswelt, bezeichnet. In einer der Geschichten, die ihn betreffen, wird davon berichtet, wie Midhir sich in eine junge Sterbliche namens Étain verliebt und seine Frau Fuamnach die Rivalin aus

Eifersucht verzaubert: zuerst verwandelt sie sie in eine Wasserlache, dann in eine purpurfarbene Fliege. Obwohl Étain sterblich ist, verfügt sie auch nach ihrer Verwandlung noch über bestimmte übernatürliche Kräfte. Sie vermag es, Midhir in den Schlaf zu summen, und warnt ihn vor der Annäherung von Feinden. Fuamnach beschwört einen Zauberwind herauf, der Étain hinwegbläst, aber sie wird von Oenghus, dem Gott der Liebe, gerettet und in seinem Palast am River Boyne behütet. Oenghus' Macht ist so groß, daß er den Fluch teilweise von ihr nehmen kann: Étain erhält während der Stunden zwischen Abenddämmerung und Morgengrauen ihre menschliche Gestalt zurück. Das Unglück will es aber, daß sie eines Tages, während sie wieder Fliegengestalt hat, erneut von einem Wind weggeweht und in einen Weinpokal getragen wird, der der Frau Edars, des Helden von Ulster, gehört. Damit geht die erste Phase ihres Lebens zu Ende, denn der Wein wird ausgetrunken, und Étain wird, eintausend Jahre nach ihrer ursprünglichen Geburt, als Kind wiedergeboren.

Midhir hat während dieser Zeitspanne von eintausend Jahren nicht von der Suche nach der Geliebten abgelassen. Als er sie schließlich findet, ist sie bereits wieder eine erwachsene Frau und die Gemahlin des Königs von Irland. Der Gott gewinnt sie mit List zurück: es gelingt ihm, ihr einen Kuß zu geben, der in Étain die Erinnerung an ihn wachruft und ihre Liebe zu ihm wieder entstehen läßt. Midhir entflieht mit seiner Geliebten, nachdem er sie und sich selbst in einen Schwan verwandelt hat.

Étain wird in dieser Geschichte ganz klar als eine Figur von übernatürlicher Art gezeichnet: sie wird nach eintausend Jahren wiedergeboren, nimmt aber wieder ihre alte Identität an, und sie steht in enger Beziehung zu zwei Göttern, Oenghus und Midhir. Vor allem aber übernimmt sie durch ihre Heirat mit dem irischen König die Funktion der Göttin der Herrschaft, das heißt, sie sanktioniert durch ihre Verbindung seine Regierung. Midhir ist eine komplexe Figur, ein Herr des Jenseits, der wechselnde Gestalten annimmt, ein Gott, der aber auf eine menschliche Gefährtin angewiesen ist. Er vermag dieser Gefährtin einen Status zu verleihen, der dem seinen entspricht.

Dieses Steinrelief aus Cirencester in Gloucestershire zeigt einen genius cucullatus *mit einem Ei und eine Muttergöttin mit Früchten oder Brot. Das Ei ist ein Symbol für neues Leben*

Oenghus und Caer

Oenghus von den Vögeln gehörte dem Stamm der Tuatha Dé Danann an und war ein irischer Gott der Liebe. Aufgrund der besonderen Umstände seiner Geburt war er auch als ›mac Oc‹, ›junger Sohn‹, bekannt. Seine Eltern, die Gottheiten Daghda und Boann, verbargen ihre unrechtmäßige Beziehung zueinander und Boanns Schwangerschaft, indem sie die Sonne neun Monate lang stillstehen ließen: so wurde Oenghus an ein- und demselben Tag gezeugt und geboren.

Oenghus' Hauptaufgabe ist es, Liebenden in einer Notlage beizustehen. So greift er zum Beispiel ein, als Midhir und Étain in Bedrängnis sind, und hilft auch Diarmaid und Gráinne in ihrer mißlichen Lage (s. S. 72). In der Geschichte »Der Traum des Oenghus« wird jedoch der Gott selbst von Liebeskummer befallen, weil er eine Frau begehrt, die er »unmöglich« für sich gewinnen kann.

Oenghus träumt von einem jungen Mädchen, das er nicht kennt; als er erwacht, stellt er fest, daß er sich in sie verliebt hat, und findet heraus, daß sie Caer Ibormeith, Caer ›Eibenbeere‹, heißt. Seine Suche nach ihr führt ihn zu einem See, wo er Caer mit ihren Gefährtinnen erblickt. Caer ist ein Wesen, das seine Gestalt wechselt: jedes Jahr, zum Zeitpunkt des Samhain-Festes (s. S. 103), werden sie und ihre Gefährtinnen in Schwäne verwandelt. Oenghus bemerkt, daß die Mädchen der Gefolgschaft paarweise mit einer silbernen Kette verbunden sind, Caer aber eine goldene Kette trägt. Obwohl Ailill von Connacht, der göttliche Schlichter, zu Oenghus' Gunsten interveniert, weist Caers Vater Ethal Anbual, der Herr von Sídh Uamain, den Gott ab. Oenghus kann die Geliebte nur zur Frau gewinnen, indem er sich ihr nähert, wenn sie zu einem Schwan geworden ist. Also begibt er sich am Tag des Festes von Samhain zu ihrem See und fliegt mit ihr, nachdem er selber ebenfalls Vogelgestalt angenommen hat, davon. Das Paar umrundet dreimal den See, und ihr Zaubergesang läßt alle anderen Geschöpfe für drei Tage und drei Nächte in Schlaf verfallen. Dann fliegen die beiden zu Oenghus' Palast in Brugh na Bóinne.

Wie der walisische Mabon repräsentiert Oenghus den Archetypus des ›Jungen Mannes‹ oder ›Göttlichen Jugendlichen‹. Seine Geliebte ist ebenfalls ein übernatürliches Wesen: ihr Vater besitzt seinen eigenen *sídh*, seine eigene Wohnstätte in der Anderswelt, und sie selbst hat die Fähigkeit, ihre Gestalt zu ändern. Das Motiv von verzauberten Schwänen, die mit Ketten aus edlem Metall aneinandergebunden sind, kommt nicht nur in diesem Mythos vor, sondern zum Beispiel auch in einigen der Geschichten von Cú Chulainn.

Diarmaid und Gráinne

Die Geschichte von Diarmaid ua Duibhne ist im Fionn-Zyklus enthalten. Erstmals wird diese Erzählung von der Flucht eines Liebespaares in dem aus dem 10. Jahrhundert stammenden *Buch von Leinster* erwähnt; in den Fionn-Zyklus wurde sie zu einem späteren Zeitpunkt eingearbeitet. Diarmaids Tod wird in Sammlungen aus dem 12. bis 15. Jahrhundert dargestellt. In der Geschichte von Diarmaid und Gráinne begegnet die in Mythen wiederholt vorkommende Figurenkonstellation von jungem Mädchen, jugendlichem Liebhaber und abgewiesenem älteren Freier. Diarmaid ist ein Stellvertreter Finns, des alternden Anführers der Fianna. Gráinne ist mit Finn verlobt, aber bei einem Fest, das der Hochzeit vorangeht, erblickt sie Diarmaid und verliebt sich in ihn. Diarmaid fühlt sich jedoch zur Loyalität gegenüber Finn verpflichtet und weist daher Gráinnes Annäherungsversuche zurück. Die Abgewiesene äußert daraufhin Zweifel daran, ob er ein echter Mann sei. Um seinen Ruf wiederherzustellen, flieht Diarmaid mit ihr vom königlichen Hof in Tara; die beiden werden viele Jahre lang von Finn verfolgt. Nach sieben Jahren hat sich der alte Kriegsherr offensichtlich mit ihrer Verbindung abgefunden; das ist aber ein Trugschluß, und es zeigt sich, welche zerstörerischen Auswirkungen die Eifersucht haben kann: Finn begeht Verrat an Diarmaid. Er lädt seinen Rivalen ein, an einer Jagd auf ein Wildschwein teilzunehmen; er weiß, daß man Diarmaid prophezeit hat, er werde im Kampf gegen dieses Geschöpf, den Eber von

Boann, der in Wirklichkeit Diarmaids verzauberter Milchbruder ist, sterben.

Die Geschichte von Diarmaids Tod ist in zwei verschiedenen Versionen überliefert. In der ersten wird er von dem Eber getötet, in der zweiten bezwingt er das Tier, wird aber tödlich verletzt, als er sich an einer der giftigen Borsten sticht. Finn könnte Diarmaid retten, indem er ihm in der hohlen Hand Wasser brächte, er zögert aber, und Diarmaid stirbt.

Das Schicksal des Liebespaares ist aufs engste mit dem Einwirken übernatürlicher Mächte verknüpft: Oenghus, der Diarmaids Pflegevater ist, hilft den beiden in ihrer Bedrängnis. Er gibt ihnen Ratschläge, wie sie sich auf ihrer Flucht zu verhalten haben, zum Beispiel, daß sie nie zwei Nächte hintereinander am selben Ort schlafen sollen. Auf ihren Irrfahrten gelangt das Paar auch in den Wald von Duvnos, in dem ein Baum der Unsterblichkeit steht, der von dem Riesen Sharvan bewacht wird. Obwohl dieses Ungeheuer so gut wie unsterblich ist, tötet Diarmaid es, und er und Gráinne essen von den Beeren des Baums, wodurch sie ebenfalls nahezu unsterblich werden. Diarmaids Tod kann nur mit Hilfe von Magie herbeigeführt werden.

Deirdre und Naoise

Dieser Text aus dem 9. Jahrhundert, der die tragisch endende Flucht von Deirdre und Naoise schildert, wurde später als eine Art von Einleitung zur *Táin* in den Ulster-Zyklus aufgenommen. Deirdres Vater Fedlimid ist der oberste Geschichtenerzähler des Königs Conchobar von Ulster. Vor ihrer Geburt sagt der Hofdruide Cathbadh voraus, daß Deirdre zu einer wunderschönen Frau heranwachsen, aber auch Vernichtung über die Männer von Ulster bringen werde. Conchobars Krieger fordern daraufhin ihren Tod, der König beschließt jedoch, sie im Verborgenen aufzuziehen und sie später zur Frau zu nehmen. Als Deirdre ein junges Mädchen ist, das immer noch in Abgeschiedenheit, fern von allen Männern lebt, beobachtet sie eines Tages, wie Conchobar im Schnee ein Kalb häutet und wie ein Rabe von dem Blut trinkt. Sie gibt kund, daß der Mann, den sie sich einmal erwählen wird, ebenfalls diese drei Farben an sich haben wird: sein Haar wird schwarz sein, seine Haut weiß und seine Wangen rot. Deirdres Gefährtin Leabharcham verrät ihr, daß es einen solchen Mann gibt, Naoise, den Sohn des Uisnech. Deirdre führt ein Zusammentreffen mit Naoise herbei, dieser erinnert sich aber an die Prophezeiung und weist sie ab. Wie Gráinne zieht Deirdre daraufhin seine Mannhaftigkeit in Zweifel, und das Paar flüchtet in der Begleitung von Naoises Brüdern Ainle und Ardan.

Die Vier suchen in Schottland Zuflucht, von wo sie Conchobar mit einer vorgetäuschten Begnadigung nach Emhain Macha zurücklockt. Nur Deirdre argwöhnt, daß der König ein falsches Spiel treibt. Die Flüchtlinge kehren an den Hof zurück, und die drei Brüder werden von einem Mann namens Eoghan getötet. Nachdem er sie ein Jahr lang gefangengehalten hat, will der König Deirdre Eoghan überlassen, aber sie begeht Selbstmord, um nicht den Mörder ihres Geliebten heiraten zu müssen.

In dieser Geschichte gibt es verschiedene Motive, die in mythologischer Hinsicht von Interesse sind. Deirdre ist ein geheimnisumwittertes Wesen; durch die vor ihrer Geburt ausgesprochene Weissagung, die Tatsache, daß drei große Helden um ihretwillen den Hof Conchobars verlassen, und durch ihre eigene Gabe, in die Zukunft zu blicken, und ihre Persönlichkeit, die stärker als die Naoises ist, wird sie aus dem Bereich der normalen Menschen herausgehoben. Was die drei Brüder betrifft, so hat nur Naoise wirklich eine eigene Identität, die beiden anderen werden vielleicht nur eingeführt, damit eine symbolkräftige Trias entsteht. Drei war eine magische oder heilige Zahl, die als solche in vielen walisischen und irischen Mythen vorkommt.

Die Walisischen Liebenden

Auf die Liebenden in der walisischen Mythentradition braucht hier nur noch kurz eingegangen zu werden, da die betreffenden Texte bereits ausführlich dargestellt wurden (s. S. 52ff. und 63ff.). Von Interesse sind in diesem Zusammenhang besonders zwei Paare, Pwyll und Rhiannon im Ersten Zweig des *Mabinogi* und Culhwch und Olwen in der nach ihnen benannten Geschichte. Die Erzählung von Pwylls Werben um Rhiannon enthält Elemente, die ähnlich auch in irischen Mythen vorkommen: es ist Pwylls hinterlistiges Vorgehen gegen Rhiannons Freier Gwawl, das zu der im Dritten Zweig geschilderten Verzauberung Dyfeds führt. Die *Geschichte von Culhwch und Olwen* steht etwas außerhalb dieser Tradition, trotzdem gibt es Berührungspunkte: Culhwchs Liebe setzt ein folgenschweres Geschehen in Gang und ruft eine Heerschar von übernatürlichen Wesen auf den Plan. Die Liebe dieses Paares kündigt keine Katastrophen an, sie ist aber stark genug, um Arthur, Mabon und andere überlebensgroße Individuen zum Eingreifen zu veranlassen, und jede Aufgabe, die Culhwch von Ysbaddaden auferlegt wird, kann nur mit göttlicher Hilfe bewältigt werden.

Göttliche Paare in der Religion der heidnischen Kelten

Bildliche Darstellungen und Inschriften belegen, daß Paare von männlichen und weiblichen Gottheiten in der religiösen Anschauung der Gallo-Romanen in ganz Europa eine wichtige Rolle spielten. Oft wurden Göttern griechisch-römischen Ursprungs nach ihrer Einführung in eroberten keltischen Gebieten ›einheimische‹ Göttinnen als Gemahlinnen oder Gefährtinnen beigegeben. In vielen Inschriften wird ein Gott mit römischem oder griechischem Namen mit einer Göttin mit keltischem Namen in Verbindung gebracht, wie zum Beispiel Merkur mit Rosmerta. Manchmal wurde zum römischen Namen einer männlichen Gottheit auch ein keltischer Beiname hinzugefügt, wie im Fall von Apollo Grannus, dessen Gefährtin Sirona war. Beide Gottheiten konnten aber auch einen keltischen Namen tragen, wie Sucellus und Nantosuelta. Einige dieser göttlichen Paare wurden in einem großen Gebiet verehrt: Merkur und Rosmerta wurden in Britannien angebetet, in Gallien und im Rheinland. Anderen, wie Ucuetis und Bergusia, scheint man nur an einem einzigen Ort, in ihrem Fall Alesia, gehuldigt zu haben.

Bestimmte Symbole, die in der Darstellung aller im keltischen Europa verehrten göttlichen Paare wiederkehren, weisen darauf

Steinskulptur eines göttlichen Paares aus Pagny-la-Ville in Frankreich. Sie hält eine patera *(Opferschale), und ihm sind ein Hammer und ein Topf beigegeben*

hin, daß diese als Förderer von Gesundheit, Reichtum und Fülle angesehen wurden. So galten zum Beispiel Sucellus (der ›Gut-Zuschlagende‹) und seine Gemahlin Nantosuelta (›Sich schlängelnder Bach‹), deren Namen sich bei Saarburg in Ostgallien auf einem Stein finden, vor allem in Burgund als Patrone der Weinernte: Sucellus schlug mit seinem Hammer auf den Boden, um ihn fruchtbar zu machen. Daß die beiden auch für den häuslichen Bereich zuständig waren, zeigt Nantosueltas Emblem: ein Haus auf einer Stange. Rosmertas Name bedeutet ›Große Fürsorgerin‹, und der keltische Merkur wurde vor allem verehrt, weil er für Erfolg im Handel und in Geschäften sorgte: entsprechend sind ein Geldbeutel (ein Symbol klassischen Ursprungs) oder eine Geldkiste seine Attribute. In Britannien wurde Rosmerta mit einem Faß oder einem Eimer dargestellt, die ähnlich wie der Kessel der Erneuerung, der in walisischen und irischen Mythen eine so wichtige Rolle spielte, Symbole für eine Neubelebung gewesen sein mögen.

Eine Reihe der göttlichen Paare, von denen bildliche oder figürliche Darstellungen existieren, wurde mit Heilung und Schutz in Verbindung gebracht. So befanden sich die Kultstätten des ›Keltischen Apollo‹ und seiner verschiedenen Gefährtinnen oft an Orten, wo Heilquellen entsprangen, die ihrerseits Gegenstand der Verehrung waren. Apollo und Sirona wurden unter anderem in Hochscheid verehrt, Apollo Moritasgus und Damona an den Quellen von Alesia angerufen. Interessanterweise gab es einen engen Zusammenhang zwischen Heilung und Fruchtbarkeit. Sirona und Damona, die Gemahlinnen des Apollo, wurden mit Kornähren abgebildet und mit Schlangen, die Fruchtbarkeit symbolisierten und gleichzeitig, weil sie ihre Häute abstreifen, für Wiedergeburt standen. Die Sirona von Hochscheid trägt Eier in der Hand, ebenfalls eindeutige Symbole für Fruchtbarkeit und Erneuerung. Die Göttinnen scheinen eine Neigung zu ›Vielmännerei‹ gehabt zu haben: Damona zum Beispiel bildete in Alesia mit Apollo ein Paar, in Bourbonne-les-Bains mit Borvo, einem anderen Gott der Heilkunst, und in Arnay-le-Duc, das wie die beiden anderen Orte in Gallien liegt, mit einer örtlichen Gottheit namens

Abilus. Ancamna war in Trier die Gemahlin des großen Heilers Mars Lenus, aber gleichzeitig in dem nahegelegenen Möhn die Gattin von Mars Smertrius. Die Verknüpfung des Keltischen Mars mit Heilung und Genesung scheint ihren Ursprung in der Vorstellung zu haben, daß dieser ›kämpferische‹ Gott auch vor Krankheit, Unfruchtbarkeit und Tod schützte.

Einige göttliche Paare waren nur für ein sehr begrenztes Gebiet zuständig, sie waren Personifikationen des Landes oder der Siedlung, in der sie verehrt wurden. Zu dieser Gruppe gehören Luxovius und Bricta, deren Kultstätte in Luxeuil-les-Bains war, Bormanus und Bormana, die Schutzpatrone von Die in Frankreich, und Veraudinus und Inciona, denen man in Widdenburg, im heutigen Luxemburg, huldigte. Diese enge Bindung der Götter an das Land ist vor allem im Hinblick auf die in irischen Mythen zum Ausdruck kommende Vorstellung vom sakralen Königtum interessant.

Ob es nun sinnvoll ist oder nicht, archäologische und literarische Zeugnisse zueinander in Beziehung zu setzen, aus den bildlichen Darstellungen geht in jedem Fall hervor, daß man ›Ehe‹ oder Partnerschaft einen Wert zuschrieb. Dies mag wohl zum Erfolg der oben dargestellten Kulte und ihrer Beliebtheit in der gesamten keltischen Welt beigetragen haben.

Himmels- und Sonnenmythen

Über viele Aspekte der keltischen Religion und Mythologie finden sich in den erhaltenen literarischen Zeugnissen so gut wie keine Aussagen, und man muß die Ergebnisse der Archäologie heranziehen, um diese Lücken zu füllen. Für die heidnischen Kelten waren alle Erscheinungen der natürlichen Welt von Geistern beseelt, und archäologische Funde lassen vermuten, daß man von allen Naturphänomenen am meisten die Sonne verehrte; sie galt als Lebensspenderin, als Förderin der Fruchtbarkeit und der Heilung und Trösterin der Toten. Es ist schwierig, allein aus archäologischen Zeugnissen die mythologischen oder religiösen Anschauungen zu rekonstruieren, aus denen dieser Sonnenkult erwuchs, einige der bildlichen Darstellungen jedoch, die die Anrufung der Sonne zum Thema haben, sind aufschlußreich genug, um einen Einblick in die zugrundeliegenden Glaubenssysteme zu gewähren.

Die volkssprachliche Tradition

Während zahlreiche im keltischen Europa aufgefundene Kulturgegenstände aus vorchristlicher Zeit von einer Sonnenverehrung künden, gibt es in den landessprachlichen Texten Irlands und Wales' kaum Belege dafür. Man kann einige Anspielungen auf einen Sonnenkult entdecken, diese sind aber insgesamt sehr indirekter und unklarer Art. In Irland übernahm die Landesgöttin Ériu in ihrer Eigenschaft als Göttin der Herrschaft bei der rituellen Vermählung mit dem König möglicherweise auch die Funktion einer

Sonnengöttin. In einem Mythos, der um dieses Inaugurationsritual herum entstand, ist die Sonne in dem mit einem roten Getränk – vielleicht Wein – gefüllten goldenen Pokal verkörpert, den Ériu den sterblichen Königen Irlands reicht, um ihre Ernennung zu legitimieren und zu bestätigen und um gleichzeitig das Wohlergehen und die Fruchtbarkeit des Landes zu fördern. Dieser Mythos ist aus zwei Gründen interessant: zum ersten, weil die Sonne hier mit einer Göttin in Zusammenhang gebracht wird, während sie in den meisten anderen Sonnenkulten von einer männlichen Gottheit personifiziert wird. In der bildenden Kunst der heidnischen Kelten findet dies eine Entsprechung: es gab Tonfigurinen der Sonnengöttin, deren Körper mit Sonnensymbolen verziert waren. In diesem Punkt scheinen also die Hinweise in den Mythen durch die darstellende Kunst bestätigt zu werden. Der zweite wichtige Aspekt ist die in den inselkeltischen Mythen zum Ausdruck kommende Assoziation von Sonne mit Fruchtbarkeit; auch dies ist eine Vorstellung, die in bildlichen Darstellungen und Inschriften wiederkehrt.

Die Sonne kann verehrt werden, weil sie Wärme spendet oder weil sie Licht gibt, oder auch aus beiden Gründen zugleich. Wenn der Licht-Aspekt im Vordergrund steht, kann man nicht immer genau unterscheiden, ob die Sonne oder der Himmel Objekt der kultischen Verehrung waren. Der irische Gott Lugh, der ›Leuchtende‹, wurde mit hellem Licht assoziiert, er mag ein Sonnengott gewesen sein oder auch nicht; in seiner Rolle als göttlicher junger Krieger und Bezwinger des Bösen begegnet er in jedem Fall in einigen der bildlichen Darstellungen aus heidnischer Zeit wieder.

In der walisischen mythologischen Tradition gibt es keine eindeutigen Hinweise auf einen Sonnenkult. In einem Mythos jedoch läßt sich eine Anspielung auf einen Lichtgott entdecken; dies ist der Text »Math«, der Vierte Zweig des *Mabinogi*, in dem die Geschichte des übernatürlichen Wesens Lleu Llaw Gyffes erzählt wird. Der Name bedeutet ›Der Helle mit der geschickten Hand‹, und vielleicht ist Lleu mit Lugh verwandt. Von dem Namen abgesehen, legen auch Einzelheiten des Geschehens eine Verbindung

Lleus mit der himmlischen Sphäre nahe. Als er von dem Speer des Liebhabers seiner Frau Blodeuwedd getroffen wird, verwandelt er sich in einen Adler und fliegt auf einen Eichbaum. In der gallo-römischen Symbolik begegnet man sowohl dem Adler als auch der Eiche immer wieder im Zusammenhang mit dem Kult des Himmelsgottes, der dem römischen Jupiter entsprach.

Sonnenkulte

Schon seit der mittleren Bronzezeit wurde in einem großen Teil Europas in prähistorischen Gemeinden die Sonne verehrt und bildlich als ein Speichenrad dargestellt. Das Rad wurde offensichtlich wegen seiner Form zum Symbol erwählt, aber auch weil es mit dem Himmelskörper das Element der Bewegung gemeinsam hat. Naturgemäß lassen Zeugnisse aus der frühen Eisenzeit nur sehr indirekte Schlüsse auf den Charakter des Himmels- und Sonnenkults zu, bestimmte Gewohnheiten der Gläubigen, von denen wir wissen, deuten jedoch an, welche Eigenschaften sie der Sonnenkraft zuschrieben und welche Haltung sie ihr gegenüber einnahmen. Krieger trugen Sonnenamulette, um sich gegen Verletzungen zu schützen, den Toten gab man kleine Sonnensymbole mit in die Gräber, so als ob diese ihnen auf der Reise durch das Dunkel in die Anderswelt Licht spenden sollten. In Heiligtümern wie dem von Alesia in Burgund wurden Modelle von Sonnenrädern als Votivgaben dargebracht; manchmal warf man diese auch in Flüsse, wie Funde in der Seine, der Oise und der Marne belegen.

Der Sonnenrad-Gott

Während der gallo-römischen Periode erlebte die Sonnenverehrung in Britannien und in Europa eine große Blüte. Es gibt Zeugnisse dafür, daß es sich um einen komplexen und vielschichtigen Kult handelte und daß man die Sonne für viele Belange zuständig

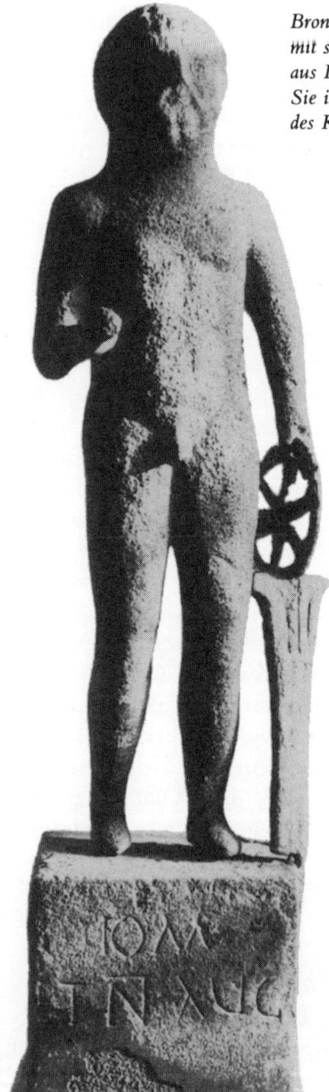

Bronzefigurine des keltischen Himmelsgottes mit seinem Sonnenrad aus Landouzy in Frankreich. Sie ist dem Jupiter und dem numen *des Kaisers gewidmet*

machte und ihr zahlreiche Funktionen zuwies. Die bildlichen Darstellungen aus jener Zeit zeigen einen Sonnengott mit einem Rad als Emblem, Beleg dafür, daß sich die Kelten die Sonnenkraft in menschlicher Gestalt personifiziert vorstellten. Als Vorläufer dieser Darstellungen kann wohl die Abbildung eines Sonnenradgottes auf dem Silberkessel von Gundestrup in Dänemark gelten, der aus dem zweiten oder ersten vorchristlichen Jahrhundert stammt. In der gallo-römischen Kunst wurde der Sonnenradgott bis zu einem gewissen Grad mit dem römischen Himmelsgott Jupiter verschmolzen. Die Statuette eines ein Rad tragenden Gottes aus Landouzy in Frankreich, die durch eine Inschrift dem Jupiter geweiht ist, liefert ein Beispiel für diese Tradition.

Interessanterweise überdauerte die schon für die Eisenzeit belegte Vorstellung, daß Sonne und Krieg in Zusammenhang miteinander stehen, bis in die gallo-römische Periode: es gibt eine Reihe von figürlichen Darstellungen, die den Sonnen- oder Himmelsgott im Kampf gegen die Mächte der Dunkelheit und des Bösen zeigen. Diese Skulpturen waren oben auf hohen, baumstammähnlichen Pfeilern befestigt, die als ›Jupiter-Säulen‹ bekannt sind, weil sie dem römischen Himmelsgott geweiht waren. Obwohl die Darstellung eines Siegers, der seinen Feind niederreitet, ihren Ursprung in der römischen Kunst hat, kommt in diesen hoch oben auf den Säulen angebrachten Figurengruppen eine religiöse Tradition der Kelten zum Ausdruck: der Gott des Lichtes und des Lebens sitzt auf dem Rücken eines Pferdes, er schwenkt sein Sonnenrad wie einen Schutzschild und seinen Blitz wie eine Waffe und reitet über einen Riesen mit Schlangengliedern hinweg, der die chthonischen Mächte personifiziert. Die Verbindung von Sonne und Krieg wird aber nicht nur aus diesen Darstellungen deutlich; der Name des nordbritannischen Kriegsgottes Belatucadrus bedeutet ›der Schön-Leuchtende‹; der gallische Mars Loucetius, den man zusammen mit seiner Gemahlin Nemetona in Bath verehrte, trug einen Beinamen, der ebenfalls die Vorstellung von Licht heraufbeschwört. Die in Corbridge (Northumberland) gefundene mit Applikationen versehene Keramikfigur eines Kriegsgottes hat ein Rad als Attribut.

Das Sonnenpferd

Pferde spielten im Sonnenkult eine wichtige Rolle; sie wurden als die Tiere angesehen, die schnell genug waren und über ein hinreichendes Ansehen verfügten, um den Himmelsgott in den Kampf zu tragen. Sie wurden jedoch noch in anderer Hinsicht in Beziehung zur Sonne gesetzt. In vielen indo-europäischen Sonnenmythen kommt das Motiv des Sonnenwagens vor, das heißt, man stellte sich vor, daß die Sonnenscheibe auf einem von einem Pferdegespann gezogenen Wagen über den Himmel befördert wurde. Der Wagen des griechischen Gottes Apollo war Vorbild für das auf der Rückseite vieler keltischer Münzen abgebildete Gefährt; allerdings reduzierten die keltischen Künstler die Darstellung häufig auf ein einziges Pferd, ein Wagenrad und ein großes Speichenrad am Himmel.

Heilung und Fruchtbarkeit

Die beiden Eigenschaften der Sonne, Wärme und Helligkeit, ließen Kulte entstehen, deren Ziel Heilung und Förderung des Wohlstands war. Kleine Sonnenräder wurden in Heilquellen geworfen; die Göttin, die über die große heilige Heilstätte von Bath herrschte, trug einen ›Sonnennamen‹: Sulis. Der keltische Apoll war eine Gottheit des Lichtes und der Heilung, er wurde mit einer ganzen Reihe von lokalen Göttern gleichgesetzt, und ihm unterstanden viele Heiligtümer, die an heilenden Quellen errichtet worden waren. So wurde zum Beispiel Apollo Belenus (der ›Helle‹ oder ›Leuchtende‹) in Sainte Sabine in Burgund verehrt, aber auch im weit entfernten Norikum (im heutigen Österreich). Der Name Belenus ist sprachgeschichtlich vielleicht mit ›Beltene‹ verwandt, dem Namen des großen Festes, das auf den britischen Inseln am 1. Mai begangen wurde und bei dem man Feuer entzündete, um den Beginn des Sommers zu feiern; gleichzeitig war dies ein Reinigungsritual, das dazu dienen sollte, die Viehherden vor Seuchen zu schützen. Der keltische Beiname von Apollo Vindonnus, des-

sen Kultstätte sich in Essarois in Burgund befand, läßt an reines, helles Licht denken. Bezeichnenderweise war er vor allem für die Heilung von Augenkrankheiten und die Wiederherstellung der Sehkraft zuständig. Am Sockel des Vindonnus-Tempels befand sich eine Darstellung, die ihn als strahlenden Sonnengott zeigte.
Die Förderung der Fruchtbarkeit wurde als eine wichtige Funktion der göttlichen Sonne angesehen, deren Wärme und deren Licht man eindeutig als lebensspendende Kräfte betrachtete. Die keltischen Muttergottheiten wurden manchmal mit dem Sonnenkult in Verbindung gebracht. Kleine Tonfigurinen solcher Göttinnen aus Zentralgallien und Britannien trugen Sonnensymbole auf dem Körper. In Netherby in Cumbria und in Naix in Nordgallien wurde den Gottheiten außer einem Sonnenrad auch noch ein Füllhorn als Symbol beigegeben.

Feuer

Im ganzen keltischen Europa wurden große ›Feuerzeremonien‹ abgehalten, weil man das Feuer als irdisches Gegenstück zur Himmelssonne anerkannte. Wie die Sonne kann das Feuer sowohl Leben stiften als auch Leben vernichten. Es hat säubernde, reinigende Kraft, und aus seiner Asche entspringt eine neue fruchtbare Vegetation. Durch die Feuerzeremonien sollte gewissermaßen auf sympathetisch-magischem Weg Einfluß auf die Sonne genommen werden, das heißt, sie sollte nach ihrer Abwesenheit im Winter zur Rückkehr veranlaßt werden. Die großen Feste wurden alle an Zeitpunkten abgehalten, die in bezug auf den Jahreszyklus der Sonne von entscheidender Bedeutung waren, Beltene am 1. Mai, Lughnasad am 1. August und Samhain am 1. November, dem Ende des keltischen Jahres (s. S. 102f.). Das christliche Mittsommerfest, womit der Geburt Johannes' des Täufers gedacht wurde, leitete sich unmittelbar aus viel älteren Zeremonien ab. Sowohl bei den heidnischen als auch bei den christlichen Festen ließ man brennende Holzräder von einem Hügel in einen Fluß rollen. Der heilige Vinzenz beobachtete im 4. Jahrhundert in Aquitanien eine

Verschiedene römisch-britische Bronzeobjekte, die bei Felmingham Hall in Norfolk gefunden wurden. Darunter befindet sich auch das Modell eines (Sonnen-)Rades

Zeremonie, bei der das Rad in Brand gesetzt, zu einem Fluß gerollt und dann im Tempel des Himmelsgottes wieder zusammengesetzt wurde. Bei einem Fest zu Ehren des heiligen Johannes, das noch bis ins 19. Jahrhundert hinein in Stromberg an der Mosel gefeiert wurde, ließ man ein großes strohummanteltes brennendes Rad den Berg hinunter in den Fluß rollen; wenn es ungehindert, und ohne daß das Feuer erlosch, bis zum Wasser gelangte, konnte man eine gute Weinernte erwarten. Die heidnische Assoziation des Feuers mit Fruchtbarkeit und Fülle hat sich also in einem nach außen hin christlichen Ritual lange am Leben erhalten.

Die Sonne und der Tod

Man glaubte, daß die Sonne mit ihrer übernatürlichen Kraft bis in die dunklen Regionen der Unterwelt vordrang. In der Eisenzeit und auch noch in römischer Zeit wurden in keltischen Gemeinden den Toten manchmal Sonnenamulette ins Grab mitgegeben, die sie während ihres Aufenthalts in der Unterwelt trösten sollten. Am Dürrnberg in Österreich hat man das Skelett eines mißgestalteten Mädchens gefunden, das acht bis zehn Jahre alt, aber sehr kleinwüchsig war; die Grabbeigabe in Gestalt eines kleinen Sonnensymbols aus Bronze ist nur einer von vielen Belegen für die Existenz eines chthonischen Sonnenrituals. Noch deutlicher wird die Verknüpfung der Sonne mit dem Tode durch einen Brauch, der im gallo-römischen Elsaß verbreitet war: dort meißelte man in die Grabsteine Sonnendarstellungen ein, die – symbolisch – die Finsternis des Grabes erhellen sollten. Möglicherweise kommt in dieser Verknüpfung von Sonnenlicht und Grabesdunkel auch die Hoffnung auf eine Wiedergeburt in der glückseligen Anderswelt zum Ausdruck.

Berggott und Donnerer

Hochgelegene Orte bieten sich als Stätten für die Verehrung von Himmelsmächten an. Berge, die in den geheiligten Bereich hineinragten, brachten die Gläubigen in die größtmögliche Nähe zum Element des Himmelsgottes. Lokale keltische Berggottheiten wurden mit dem römischen Jupiter gleichgesetzt. Ladicus wurde auf dem gleichnamigen Berg in Spanien verehrt; Poenius an den hochgelegenen Alpenpässen Galliens, Uxellinus in Österreich. In den Pyrenäen huldigte man in Heiligtümern auf dem Mont Sacon und bei Valentine einer lokalen Variante des Jupiter, und Pilger weihten ihm kleine, rohgehauene Altäre, in die manchmal der Name Jupiters eingemeißelt wurde, die aber gleichzeitig mit Rädern und Hakenkreuzen verziert waren. In dieser Region war das Hakenkreuz als zweites Sonnensymbol verbreitet; es ähnelte dem Rad, betonte aber vielleicht noch mehr die Vorstellung von Bewegung.

Berggottheiten wurden häufig mit dem Wetter im allgemeinen und mit Stürmen im besonderen in Beziehung gebracht; der syrische Jupiter Dolichenus ist ein Beispiel dafür. Die Kelten hatten ihren eigenen Donnergott, Taranis, dessen Name von einem keltischen Wort für Donner, *taran*, abgeleitet ist. Lukan, der römische Dichter des ersten nachchristlichen Jahrhunderts, spielt in seinem

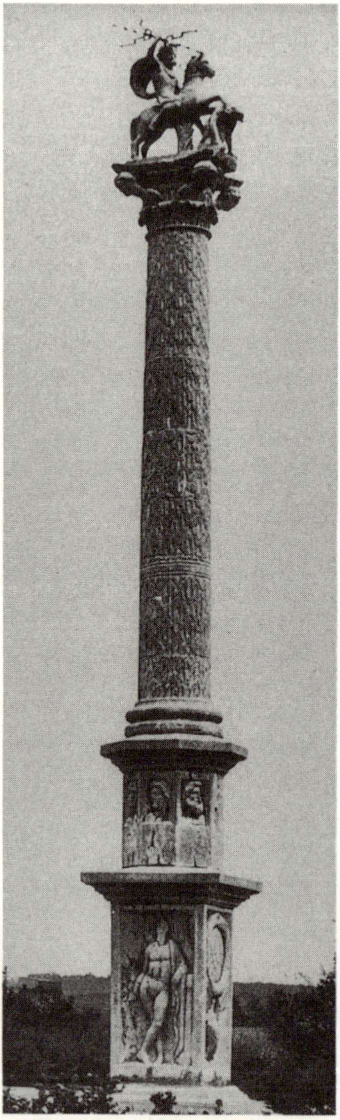

Rekonstruktion einer römisch-keltischen Jupiter-Riesensäule mit einer Gruppe von Reitern (Fundort des Originals ist Hausen an der Zaber in der Nähe von Stuttgart)

Epos *Pharsalia* (1,446) auf drei furchteinflößende keltische Götter an, denen Caesars Truppen in Gallien begegnet sein sollen:

> [...] und jene Gallier, die mit Menschenopfern die erbarmungslosen Götter Teutates, Esus und Taranis versöhnlich stimmen – an deren Altären den Vorüberkommenden schaudert.

Ein späterer Kommentator hat diese Stelle aus Lukans Text auf die Opferung von Menschen in einer riesigen brennenden Menschenfigur aus Korbgeflecht bezogen. Sieben diesem keltischen Donnerer geweihte Altäre sind für das gallo-römische Europa belegt: im britannischen Chester, im Rheinland und in Dalmatien. In einigen der Widmungsinschriften wird der Gott ›Jupiter Taranis‹ genannt. Taranis ist wie der Sonnengott eine Verkörperung der Himmelsmacht. Er repräsentiert aber die lärmende, zerstörerische Kraft der Stürme: sein Name gibt schon Auskunft über seine Identität und legt auch bereits die Symbolik fest, mit der er dargestellt wurde.

Kult und Theologie

Funde von ›liturgischen‹ Gegenständen deuten darauf hin, daß die Verehrer des Sonnen- oder Himmelsgottes bestimmten formalisierten Ritualen folgten. Im Tempel von Wanborough in Surrey wurden zwei aus Ketten gefertigte Kopfbedeckungen entdeckt, auf denen Radsymbole befestigt waren; vielleicht wurde dieser Kopfschmuck von Priestern des Sonnenkults getragen. Die Bronzekeule aus Willingham Fen in Cambridgeshire, auf der der Radgott abgebildet ist, läßt ebenfalls auf die Existenz zeremonieller Handlungen schließen. Heiligtümer wie das von Alesia in Burgund mit seinen zahlreichen Radmodellen waren möglicherweise dem Sonnengott geweiht.

Kann man annehmen, daß dem Sonnen- und Himmelskult eine eigene Theologie oder Mythologie zugrunde lag? Natürlich wäre es in Anbetracht der Tatsache, daß es so gut wie keine Belege dafür gibt, verfehlt, von einem Sonnenmythos im eigentlichen Sinne

Römisch-keltischer Altar, der dem Taranucnus geweiht ist, einer Variante des keltischen Donnergottes Taranis. Aus Böckingen in Baden-Württemberg

des Wortes zu sprechen. Einige der bildlichen Darstellungen zeigen jedoch, daß es einmal ein regelrechtes Glaubenssystem gegeben hat, das von einem Mythos untermauert gewesen sein muß. Die Skulpturen auf den Jupitersäulen deuten auf einen Mythos hin, in dem ein fundamentaler Dualismus gestaltet wurde: die Mächte des Tages und der Nacht, des Lichtes und der Dunkelheit, des Lebens und des Todes wurden in einem endlosen Kampf um die Oberherrschaft dargestellt. Das Szepter von Willingham weist mit den figürlichen Darstellungen des Sonnengottes, sowie eines Stieres mit drei Hörnern, eines Adlers, eines Delphins und eines Unterwelt-Ungeheuers einen Beziehungsreichtum auf, der ebenfalls für die Existenz eines Mythos spricht. Endlich kündet die große Vielfalt von Fundgegenständen davon, für wie viele verschiedene Bereiche die himmlischen Mächte nach keltischem Glauben zuständig waren: für das Leben an sich, die Heilung, die Fruchtbarkeit und für das Mysterium von Tod und Wiedergeburt.

Fruchtbarkeit, Land und Wasser

Wie für die Anhänger vieler anderer polytheistischer Religionen waren auch für die Kelten ihre Götter überall in der Natur: jeder Baum und jeder See, jeder Fluß und jeder Berg, jede Quelle besaß einen eigenen ›Geist‹. Diese Vorstellung einer von Göttern beseelten Natur ließ zahlreiche Fruchtbarkeitskulte und -mythen entstehen. Im Mittelpunkt der wichtigsten von ihnen standen die Muttergottheiten, die sowohl auf der Erde als auch im Totenreich über alles walteten, was mit Fülle und Gedeihen zu tun hatte. In der irischen Mythologie war es die Vereinigung des sterblichen Königs mit der Göttin des Landes, die für Fruchtbarkeit sorgte. Die großen keltischen Feste fanden alle zu Zeitpunkten statt, die für die Weidewirtschaft oder den Ackerbau von Wichtigkeit waren, sie hatten also Bedeutung für das Wohlergehen von Haustieren und Gedeihen von Feldfrüchten. Das Wasser wurde als eine lebenspendende Kraft angesehen, und Wasserkulte nahmen in der Religionsausübung eine herausragende Rolle ein. Quellen standen auch im Zentrum von ›Heilungs‹-Kulten, die auf den heiligenden und reinigenden Eigenschaften des klaren Wassers gründeten.

Landschaftsgeister

Für die Kelten waren alle Erscheinungen der Landschaft von Geistern bewohnt. Inschriften und bildliche Darstellungen aus dem gallo-römischen Europa bezeugen, daß viele Orte als heilig angesehen wurden, weil man sich vorstellte, daß sie unter dem Schutz von lokalen Gottheiten standen. Eine Siedlung und ein Gott konnten sogar denselben Namen tragen: der Schutzgeist von Glanum in Südgallien war Glanis, und Nemausus war der Name des heutigen Nîmes und des Gottes, der dort über die heilige Quelle wachte. Auch Berge galten als heilig, und ihre Geister wurden verehrt: Vosegus war der Gott der Vogesen in Ostgallien, und der Gott Ladicus gab dem Berg Ladicus in Nordwestspanien seinen Namen (s. S. 87).

Römisch-keltische Steinfigurine einer Muttergöttin mit einem Baum, einer Ähre (oder einem Palmenzweig) und Früchten. Aus Caerwent in Südwales

Bäume, Haine und Wälder wurden ebenfalls als heilig angesehen. Bäume hatten in der keltischen Symbolik eine vielfältige Funktion: wegen ihrer Wurzeln und ihrer Äste sah man sie als Vermittler zwischen Unterwelt und Himmel an; aufgrund ihrer Langlebigkeit standen sie für Kontinuität und Weisheit. Laubwerfende Bäume, deren Aussehen sich mit dem Verlauf der Jahreszeiten änderte, dienten zur allegorischen Darstellung des Zyklus von Leben, Tod und Wiedergeburt. Auch wegen dieser mit ihnen verknüpften Vorstellung einer Erneuerung spielten Bäume in Fruchtbarkeits- und Naturkulten eine Rolle: so wurden die Muttergottheiten oft mit Bäumen in Verbindung gebracht. Ihnen gewidmete Altäre im Rheinland weisen Baumsymbole auf; im Heiligtum der Mütter in Pesch stand ein geweihter Baum im Mittelpunkt der kultischen Handlungen. Auch gallische Stammesnamen zeugen von der Verehrung von Bäumen: die Eburonen waren der ›Stamm der Eibe‹, die Lemoviken das ›Volk der Ulme‹. In Irland hieß ein heiliger Baum *bile*; je älter er war, als desto heiliger wurde er angesehen. In den iro-keltischen Mythen sind alle Bäume heilig, aber die Eiche, die Eibe, die Esche und die Haselnuß sind es in noch höherem Maße als die anderen. In den *Dinnshenchas* wird darauf angespielt, daß Bäume Quellen heiliger Weisheit sind. Die heiligen Bäume der Iren spielten auch bei der Einsetzung eines Herrschers eine Rolle; sie fand immer in der Nähe eines geweihten Baumes statt, der Herrschaft, Tradition und Weisheit verkörperte. Den gleichen Nimbus wie Einzelbäume genossen Baumgruppen oder Haine, die von den Iro-Kelten *fidnemed* genannt wurden und von den Galliern und Bretonen *nemeton*.

Kulte um das Wasser und um Heilquellen

Wasser galt gleichzeitig als Schöpfer und Zerstörer von Leben. Daher entstanden um das Wasser in seinen verschiedenen Erscheinungsformen – als Fluß, Quelle, Brunnen, See oder Sumpf – zahlreiche Mythen und Kulte, für die sowohl die Archäologie als auch die Literatur Belege bieten. Auch in der christlichen Tradition wird Wasser noch als etwas Heiliges erachtet und hat seinen festen Platz in der religiösen Symbolik.

Flüsse wurden als von Göttern beseelt angesehen, die Leben spendeten. Von der frühen Bronzezeit an warf man wertvolle Gegenstände als Votivgaben in ihr Wasser. Während der keltischen Eisenzeit wurden in Flüssen wie der Themse und der Whitham vor allem Gegenstände versenkt, die mit Kampf und Krieg zu tun hatten: Waffen, Rüstungen und Schilde. An ihren Quellen und dort, wo sie mit anderen zusammenflossen, galten Flüsse als besonders heilig. Condatis (›Zusammenfluß‹) wurde in der Tyne-Tees-Region in Nordbritannien verehrt, und ›Condate‹ hieß das Heiligtum, das an der Stelle lag, wo Rhône und Saône sich vereinigten. Es gibt Beweise dafür, daß man viele der numinosen *personae*, die einem Wasserlauf innewohnten, zu göttlichen Wesen erhob, die nach ihrem ›Wohnort‹ benannt und in dieser Gestalt verehrt wurden: so gab es Sequana von der Seine, Souconna von der Saône und Verbeia von der Wharfe – um nur einige zu nennen. Die inselkeltischen *Dinnshenchas* enthalten den Mythos vom River Boyne, dessen Personifikation die Göttin Boann war. Boann wurde von ihrem Gemahl Nechtan, der ebenfalls ein Wassergeist war, in einen Fluß verwandelt, weil sie es gewagt hatte, gegen sein Verbot seinen Brunnen (Sídh Nechtan) aufzusuchen.

Seen und Sümpfe galten ebenfalls als heilige Orte. Strabo erwähnt, daß Schätze in heiligen Seen versenkt wurden; archäologische Funde bestätigen dies. In einer kleinen Bucht am Ostende des Neuchâteler Sees, bei La Tène, wurden eigens hölzerne Plattformen (die mit Hilfe der Dendrochronologie – der Jahresringforschung – auf das zweite vorchristliche Jahrhundert datiert wurden) errichtet, von denen aus man wertvolle Gegenstände dem Wasser übergab. Unter den dort zutage geförderten Gegenständen sind Hunderte von Broschen, Waffen, Schilden und Streitwagen, die in dem Zeitraum von etwa 50 vor bis um 50 nach Christus geopfert wurden. Außerdem fand man auch zahlreiche Skelette von Tieren. Der See Llyn Fawr im walisischen Glamorgan stand um 600 v. Chr. im Mittelpunkt kultischer Aktivitäten: in ihm wurden antike Kessel und ›exotische‹ Gebrauchsgegenstände, die der sogenannten Hallstattkultur (nach dem Hauptfundort in Österreich) angehören, versenkt. Vom zweiten bis ersten vorchristlichen Jahrhundert opferte man dem Llyn Cerrig Bach auf Anglesey Prestigeobjekte wie Streitwagen, Waffen und Kessel. Es ist möglich, daß das unter der Aufsicht von Druiden geschah, denn Tacitus berichtet, daß diese auf der Insel Mona ein wichtiges Kultzentrum besaßen.

Aufschlußreich ist vor allem, daß immer wieder Kessel dem Wasser übergeben wurden. Mit diesen Gefäßen assoziierte man – wie aus zahlreichen volkssprachlichen Mythen hervorgeht – Festmahle und Überfluß. Der Daghda, der irische Gott, besaß einen riesigen Kessel, der nie leer wurde (s. S. 24); der walisische Held Bran schenkte dem irischen König Matholwch einen Kessel der Wiedergeburt. Daß sie als Behältnisse für Flüssigkeiten dienten, mag ein Grund dafür gewesen sein, daß sie so oft in Gewässer der verschiedensten Art gestürzt wurden. Die großen Kessel von Brå und Gundestrup in Dänemark wurden in Sümpfen gefunden. Der Kessel von Duchov in Böhmen stammt aus einer Frühlings-Kultstätte und enthielt mehr als zweitausend bronzene Schmuckstükke. Schottische Seen wie Carlingwark Loch und Blackburn Mill

Bronzekessel aus der späten Eisenzeit, über den ein zweiter Kessel gestülpt war. Die beiden Gefäße wurden als Votivgaben in der Nähe von Blackburn Mill in Schottland im Moor versenkt

waren gegen Ende der Eisenzeit Schauplätze ritueller Opferungen von Kesseln.

Auch Moore waren Zentren kultischer Aktivitäten, zum einen wohl aufgrund des feuchten Terrains, zum anderen aber vielleicht auch, weil man mit ihnen Gefahr und Heimtücke assoziierte. In der Eisenzeit versuchte man, die Moorgeister mit Gaben in Gestalt von Waffen, Kesseln und Wagen versöhnlich zu stimmen, aber auch mit Menschenopfern. Das schottische Torrs Camfrein, ein feingearbeitetes Stück von einem Schutzpanzer für Pferde, stammt aus einem Sumpf. Den spektakulärsten Fund innerhalb Großbritanniens stellt die bei Lindow Moss zutage geförderte Leiche eines jungen Mannes dar, der stranguliert und unbekleidet in einen Moortümpel geworfen wurde (s. Abb. S. 130). Dies geschah zu einem nicht näher bestimmbaren Zeitpunkt in der Eisenzeit.

Quellen und Brunnen wurden mit Gottheiten und vor allem mit Heilungskulten in Verbindung gebracht. Brunnen, die tief in den Boden hineinführten, galten als Verbindungswege zwischen der Erde und der Unterwelt. Die Göttin Coventina herrschte über eine heilige Quelle und einen heiligen Brunnen in einem römischen Kastell am Hadrianswall. Aus einem römisch-britischen Brunnen in Goadby (Leicestershire) wurden die Leichen zweier Menschen geborgen, die man mit Steinen beschwert hatte. Vielleicht waren sie den Mächten der Unterwelt geopfert worden. Ein ausgetrockneter Brunnenschacht in Jordan Hill (Dorset), der aus römischer Zeit stammt, enthielt eine Reihe sehr merkwürdiger und sehr sorgfältig plazierter Opfergaben – darunter steinerne Deckeltröge, die mit eisernen Gegenständen angefüllt waren, und sechzehn Paare von Fliesen, zwischen die man jeweils eine Krähe und eine Münze gelegt hatte.

Heilige Brunnen kommen in den Mythen der Inselkelten häufig vor: im Fionn-Zyklus wird der Salm des Wissens beschrieben, der tief unten in einem solchen Brunnen lebt. Im Brigit-Kult spielten Brunnen eine große Rolle. Die irische Göttin wurde später zu Sankt Brigit – sie ist nur eine von vielen christlichen Heiligen, die über Brunnen herrschten: Sankt Melor von Cornwall liefert ein weiteres Beispiel. Sankt Winifrides Brunnen in Holywell in Clwyd ist einer der vielen von den Christen als heilig angesehenen Brunnen in Wales. Wie in der Legende dieser walisischen Heiligen dargestellt, verliehen die abgetrennten Köpfe bretonischer Heiliger bestimmten Brunnen Weihe und große Kräfte.

Quellen verehrte man in Anerkennung ihrer heilenden und reinigenden Kräfte. In gallo-römischer Zeit zogen Kulte um bestimmte Heilquellen Pilger aus dem gesamten keltischen Europa an. Im Wasser der beiden Quellen von Chamalières in der Nähe von Clermont-Ferrand kommen Mineralien vor, die erwiesenermaßen gesundheitsfördernd sind. Im ersten vorchristlichen und ersten nachchristlichen Jahrhundert wurde der dortige heilige Teich von kranken Gläubigen besucht, die dem über ihm waltenden Geist hölzerne Abbilder von sich selbst darbrachten; die Gesichter dieser Statuetten zeigen vor allem Merkmale von Augenerkrankungen.

In der gleichen Periode wurde bei Fontes Sequanae (Quellen der Sequana) in der Nähe von Dijon ein Heiligtum errichtet, damit man die Genesung gewährende Göttin der Seine an der Quelle ihres Flusses verehren konnte. Mehr als zweihundert hölzerne Modelle von Pilgern – oder den Teilen ihres Körpers, die geheilt werden sollten – wurden dort der Gottheit geweiht. Diesem Ritual lag eine Art von ›Do ut des‹-Denken zugrunde: nachdem er in dem reinen, heiligen Wasser gebadet hatte, brachte der Gläubige ein Abbild seines erkrankten Körperteils dar, in der Hoffnung, daß die Göttin ihm dafür ein unversehrtes und gesundes Glied oder Organ zurückgeben würde.

In Gallien und Britannien wurden viele andere solcher Gottheiten verehrt; der keltische Apollo war – manchmal zusammen mit einer Gefährtin – der Gott vieler Heilstätten. Als Apollo Belenus regierte er über Sainte-Sabine in Burgund, als Apollo Grannus hielt er zusammen mit seiner Gemahlin Sirona seine schützende Hand über Grand in den Vogesen. Ihm geweihte Stätten gab es in der Bretagne, aber auch im weit entfernten Ungarn. An allen diesen Orten nahmen die Heilung Suchenden zunächst ein Bad, brachten ihre Geschenke dar und legten sich dann in einem besonderen

Schlafsaal zur Ruhe, in der Hoffnung, eine Vision von dem heilenden Gott zu haben.
Im Trierer Gebiet galt Lenus Mars als mächtiger Heiler; seine Hauptkultstätte lag an einem Fluß und einer Quelle in der Nähe der Mosel. Die bedeutendste britannische Gottheit dieser Art war Sulis, deren großer Tempel in Aquae Sulis, in Bath, stand, auf einem Gelände, wo warme Quellen aus dem Boden schossen und täglich über eine Million Liter Wasser lieferten.

Fruchtbarkeitsmythen und -kulte

Die Kelten waren ein Volk, das vor allem von der Landwirtschaft lebte, und sie richteten ihre Aufmerksamkeit daher in besonderem Maße auf den Wechsel der Jahreszeiten, die Fruchtbarkeit des Bodens, das Wohlbefinden ihrer Haustiere und das Gedeihen ihrer Feldfrüchte. Die meisten Gottheiten im keltischen Europa, die mit der Natur in Verbindung standen, galten auch als Spender von Fruchtbarkeit: Cernunnos, Epona, die Jagdgötter und die Heiler sind nur einige Beispiele dafür. In Kapuzenmäntel gehüllte Geister, die sogenannten *genii cucullati*, wurden mit solch ausdrucksstarken Fruchtbarkeitssymbolen wie Eiern dargestellt. Einige in Kontinentaleuropa aufgefundene Statuetten dieser Geister sind zudem mit ganz eindeutigen Sexualsymbolen ausgestattet: bei ihnen kann man die Kapuze abnehmen und entblößt damit einen erigierten Phallus. Die britischen *cucullati* weisen eine typische Gestalt auf: sie sind in Dreiergruppen dargestellt und häufig im Verein mit den Muttergöttinnen.
Die ›Mütter‹ zeigen am deutlichsten, daß man sich Fruchtbarkeit personifiziert vorstellte. Die Erdmutter, Spenderin von Fülle, hatte im Pantheon der europäischen Kelten eine wichtige Position inne – wie es auch bei den Römern, Griechen und anderen Völkern der Antike der Fall war. Mit ihr verbanden sich Vorstellungen, wie sie auch in irischen und walisischen Darstellungen solcher Göttinnen wie Mada, Medb und Modron zum Ausdruck kommen. Die kultische Verehrung der göttlichen Mutter war im

gesamten gallo-römischen Europa verbreitet: sie wurde am häufigsten in Trias-Form abgebildet. Inschriften künden entsprechend von *Deae Matres* oder *Deae Matrones*, also von mehreren Göttinnen. Die Verdreifachung scheint am häufigsten bei bildlichen und figürlichen Darstellungen von Gottheiten vorzukommen, die mit Prosperität und Wohlergehen zu tun hatten. Die Mütter werden in den meisten Fällen in einer Reihe sitzend dargestellt, und ihnen sind Fruchtbarkeitssymbole wie neugeborene Kinder, Früchte oder Brot beigegeben.

Für eine in Burgund typische Darstellung bietet ein in Vertault aufgefundenes Relief ein Beispiel: die Göttinnen sind mit einem Kleinkind, einem Tuch, einem Schwamm und einem Wasserbekken abgebildet. Die germanischen *Matronae* waren topographische

Römisch-keltische Darstellung der drei Muttergöttinnen aus Ton. Fundort ist Bonn; im Rheinland sind diese Gottheiten immer nach diesem Muster dargestellt: zwei ältere Frauen, die einen Kopfschmuck tragen, flankieren ein junges Mädchen

Gottheiten, die einen ortsbezogenen Beinamen trugen, wie zum Beispiel die Aufaniae. Ihre Embleme sind zumeist Früchte, das heißt, sie wurden nicht ausdrücklich zur menschlichen Fruchtbarkeit in Beziehung gesetzt. Immer ist eine junge Göttin flankiert von zwei älteren dargestellt, so als ob die Weiblichkeit in verschiedenen Altersstadien erfaßt werden sollte. Die britischen Muttergottheiten wurden sowohl mit Kindern als auch mit Früchten abgebildet.

Die keltischen Feste

Die Mythen der Inselkelten berichten von vier großen Festen, von denen jedes zu einem Zeitpunkt des Jahres stattfand, der aus der Sicht eines Landwirtschaft betreibenden Volkes von besonderer Bedeutung war.

Imbolc wurde am 1. und 2. Februar begangen, das heißt, es fiel in die Zeit, in der die Mutterschafe begannen, ihre Lämmer zu säugen (*Imbolc* bedeutet soviel wie ›Anlegen der Lämmer‹). Es war gleichzeitig das Fest der Brigit. Brigit hatte eine Vielzahl von Aufgaben, sie schützte Frauen, die in den Wehen lagen, wachte über das Brauen von Ale und stand auch in Beziehung zur Dicht- und Wahrsagekunst. Interessanterweise behielt sie viele dieser Rollen bei, als sie von der frühen christlichen Kirche in Irland als Heilige adoptiert wurde.

Das *Beltene*-Fest (*Beltene* bedeutet ›strahlendes, leuchtendes Feuer‹) wurde am 1. Mai gefeiert, zu der Zeit, da man das Vieh wieder auf die Weiden trieb. Mit diesem Fest hieß man den Sommer willkommen und die wärmende Sonne, die die Früchte reifen lassen würde. Große Feuer wurden entzündet, um die Sonne dazu zu ermutigen, ihre Wärme zur Erde zu senden. Cormac, ein Autor des 9. Jahrhunderts n. Chr., beschreibt ein Beltene-Fest, bei dem Druiden zwei Feuer entfachten, zwischen denen sie die Haustiere durchtrieben. Dieses magische Ritual diente der Reinigung und der Steigerung der Fruchtbarkeit.

Lughnasad fiel zeitlich mit dem Beginn der Ernte zusammen. Die

Hauptzeremonien fanden am 1. August statt, die Feierlichkeiten zogen sich aber einen ganzen Monat lang hin. Irischer Überlieferung zufolge wurde der Jahrmarkt von Lughnasad von dem Gott Lugh eingeführt, um an seine Ziehmutter Tailtu zu erinnern oder um seine Heirat zu feiern (*Lughnasad* läßt sich als ›Hochzeit des Lugh‹ übersetzen). Das Fest wurde an verschiedenen Orten abgehalten, unter anderem an den Königshöfen von Tara und Emhain Macha.

Samhain (31. Oktober / 1. November) war das Fest, über das wir heute am meisten wissen. Für die Kelten begann mit ihm der Winter und gleichzeitig das Neue Jahr. Es leitete die Periode ein, in der die Tiere von den Weiden geholt, einige von ihnen geschlachtet und andere zur Zucht am Leben gelassen wurden. Samhain wird auf dem gallischen Coligny-Kalender aus dem ersten vorchristlichen Jahrhundert als ›Samonios‹ bezeichnet. In Irland fanden gegen Ende des ersten Jahrtausends unserer Zeitrechnung anläßlich dieses Festes große Versammlungen von Vertretern der fünf Provinzen statt, bei denen man über politische Angelegenheiten debattierte, aber auch noch bestimmte Rituale vollzog, die in Beziehung zur Landwirtschaft standen. Zur Feier des Tages wurden Märkte und Jahrmärkte abgehalten und Pferderennen veranstaltet.

Samhain war das Fest, mit dem der Tod des Sommers rituell betrauert wurde. Es markierte den Übergang zwischen zwei Perioden, das heißt, es fand in einer als gefährlich empfundenen Zwischenperiode statt, in der die normalen Gesetze von Zeit und Raum vorübergehend außer Kraft gesetzt waren. Die Grenzbarrieren waren aufgehoben: Geister der Anderswelt konnten auf der Erde wandeln, und menschliche Wesen konnten ihrem Reich einen Besuch abstatten.

Tiere in Kulten und Mythen

Tiere wurden von den Kelten – wie von den Angehörigen vieler anderer nichtchristlicher Kulturen – wegen bestimmter Fähigkeiten und Eigenschaften, wie Schnelligkeit, Wildheit, Fruchtbarkeit, Mut oder Schönheit, verehrt. Einige Tiere fanden aufgrund ihres typischen Verhaltens Eingang in die religiöse Symbolik. So wurde zum Beispiel die Schlange aufgrund ihrer ›Erdgebundenheit‹ als ein Wesen angesehen, das Verbindungen zur Unterwelt hatte; Vögel wiederum wurden, weil sie fliegen können, zur Allegorie für die nach dem Tod freigesetzte Seele des Menschen. In den Mythen kommen viele Wesen vor, die auf Wunsch ihre menschliche Gestalt ablegen und die eines Tieres annehmen können, und zahllose verzauberte Tiere, die einmal Menschen gewesen sind. Entsprechend sind in der bildenden Kunst viele Gottheiten als Mischwesen dargestellt. Die Bedeutung von Tieren für die keltische Religion wird auch durch die Tieropfer belegt, die nach sehr komplizierten und spezifischen Gesetzen vorgenommen wurden.

Wildtiere und Jagd

Wenn auch Wildtiere keine wesentliche Bedeutung für die Ernährung hatten, war die Jagd doch ein weitverbreiteter Zeitvertreib, der auch ein gewisses Prestige verlieh. Die göttliche Jagd ist ein wichtiges Motiv in den volkssprachlichen Mythen, und Bildwerke der heidnischen Kelten zeigen, daß jagdbare Tiere in vielen Kulten eine Rolle spielten.

Die Menschen entwickelten zu den Tieren, denen sie nachstellten, ein besonderes, mehrgleisiges Verhältnis, geprägt von Ehrfurcht und dem Bewußtsein, daß man mit der Jagd auch einen Raub an der Natur beging. Folglich waren angemessene Versöhnungsrituale erforderlich. Die Götter beschützten auf der einen Seite die wilden Geschöpfe, begünstigten aber auf der anderen Seite die Jagd. Diese Ambivalenz kommt in einigen Darstellungen zum Ausdruck, in denen der Gott seiner Beute gegenüber so etwas wie Zärtlichkeit beweist: die Skulptur eines Jagdgottes mit seinem Hirsch aus Le Donon in den Vogesen ist ein gutes Beispiel dafür. Viele göttliche Jäger sind – wie die menschlichen im wirklichen Leben – von Hunden begleitet.
Mit der göttlichen Jagd verband sich die Vorstellung von Wiedergeburt und Erneuerung. Dadurch, daß das Blut des Gejagten vergossen wurde, erwuchs Nahrung, das heißt Leben, für den Jäger. In irischen und walisischen Mythen dient die Jagd manchmal auch als Mittel, den Kontakt zwischen der irdischen Welt und der Anderswelt herzustellen. So wird zum Beispiel Finn von Geschöpfen der übernatürlichen Welt mit Hilfe verzauberter Tiere in ihr Reich gelockt, und im *Mabinogi* werden Pwyll und der König der Anderswelt, Arawn, durch eine Hirschjagd zusammengebracht.
Bestimmte Gottheiten standen mit bestimmten Tieren in Verbindung. Bären wurden von Artio beschützt, einer Göttin, die man in der Nähe Berns verehrte, wo man eine Bronzestatue von ihr und ihrem Tier gefunden hat. Eine andere Bronzestatue zeigt Arduinna, eine göttliche Jägerin der Ardennen, mit einem Jagdmesser in der Hand rittlings auf einem dahinstürmenden Wildschwein sitzend. Eine Schnitzerei aus vorrömischer Zeit aus Euffigneix in Ostgallien stellt einen Gott dar, neben dem ein Wildschwein mit gesträubten Rückenborsten schreitet. Die Kampfeslust des Tieres, die durch den aufgerichteten Rückenkamm angedeutet wird, wird auch bei anderen Wildschweinfigurinen, wie etwa der von Neuvy-en-Sullias (Loiret), betont. Auf keltischen Helmen und Schilden waren Wildschwein-Embleme angebracht, und die *carnyx*, die Kriegstrompete, hatte einen Schalltrichter, der wie ein Eberkopf mit wütend aufgerissenem Maul geformt war. Im Mit-

Steinstatuette eines Gottes, der einen Torques, einen Halsreif, trägt, aus Euffigneix in Frankreich. Das Augensymbol an seiner Seite soll vielleicht andeuten, daß dieser Gott alles sieht. Das auf seiner Brust dargestellte Wildschwein mit aggressiv aufgerichteten Rückenborsten läßt vermuten, daß es sich um einen Gott der Jagd oder des Krieges handelte

telpunkt der walisischen Erzählung von *Culhwch und Olwen* steht Twrch Trwyth, der riesige, Vernichtung bringende Keiler (s. S. 63), und ähnliche Tiere kommen auch in irischen Mythen häufig vor: Orc Triath ist das irische Äquivalent zu Twrch Trwyth. Hirsche waren wichtige Kulttiere, wohl wegen ihrer Schnelligkeit, ihrer Virilität und wegen ihres weitausladenden Geweihs, das sie wie Könige des Waldes aussehen ließ. Unter den aus der Eisenzeit stammenden Felsenbildern im norditalienischen Tal von Camonica sind zahlreiche Darstellungen heiliger Hirsche, die oft im Mittelpunkt eines Jagdrituals stehen. Auf dem Bronzemodell eines Kultwagens aus dem siebten vorchristlichen Jahrhundert, das bei Strettweg in Österreich gefunden wurde, ist eine Hirschjagd abgebildet, die von einer Göttin angeführt wird. In späteren Darstellungen ist der Hirsch nicht nur als Begleiter von Jagdgöttern zu sehen, sondern auch von Cernunnos, der selbst ein Geweih trägt (s. S. 118f.). Hirsche von übernatürlicher Art sind in den Mythen von Bedeutung; Sava, die Frau Finns, ist eine verwandelte Hirschkuh, und der Name ihres Sohns, Oisin, bedeutet ›kleiner Hirsch‹. Finn ist einer der Jäger, die von verzauberten Hirschen in die Anderswelt gelockt werden.

Schlangen und Vögel

Weil die Schlange ihre Haut abstreift, war sie ein Symbol für Wiedergeburt und wurde mit göttlichen Heilern wie Sirona in Zusammenhang gebracht. In den Religionen des klassischen Altertums stand die Schlange gleichzeitig für Wohlergehen und für Tod. Vielleicht wegen ihrer phallischen Gestalt, des Doppelpenis der männlichen Schlange und der Vielzahl von Jungen, die eine weibliche Schlange auf einmal gebiert, assoziierte man mit diesen Tieren Fruchtbarkeit. Weil sie auf dem Erdboden kriechen, sich von Fleisch ernähren und ihre Opfer geschickt töten, wurden sie mit den chthonischen Mächten in Verbindung gebracht. Dies zeigen vor allem die figürlichen Darstellungen auf den Jupitersäulen: das Ungeheuer der Dunkelheit ist ein Riese, dessen Beine von Schlangen gebildet werden. Eine eigene Gruppe machen die Darstellungen von widderköpfigen Schlangen aus, die vor allem im gallo-römischen Raum verbreitet waren. Allgemein deutet man sie so, daß gleichzeitig Fruchtbarkeit (dafür stand der Widder im klassischen Altertum) und Wiedergeburt versinnbildlicht werden sollten. Diese Zwitterwesen sind oft Gottheiten der Fülle oder der Heilung zugesellt, wie zum Beispiel Cernunnos, der in seiner Rolle als Bewahrer vor Unheil dem Merkur oder Mars entsprach.

Schlangen kommen in einer Reihe irischer Mythen vor. Dieser Umstand ist an sich schon interessant, weil es nämlich in Irland keine Schlangen (mehr) gibt. Man kann daraus schließen, daß die Schlangenmythen uralt sind. Die Kampffurie, die Morrigán, hat einen Sohn namens Meiche, der von Dian Cécht, dem göttlichen Arzt, getötet wird, weil er drei Schlangen in seinem Herzen trägt. Es gab eine Prophezeiung, daß diese Schlangen alle anderen Tiere in Irland töten würden, wenn man ihnen erlaubte heranzuwachsen. Der Recke von Ulster, Conall Cernach, trifft auf eine große Schlange, die einen Schatz bewacht. Der walisische Kleriker Giraldus Cambrensis berichtete über einen goldenen Halsreif in einem Brunnen in Pembrokeshire, über den eine Schlange wachte. Das Motiv der Schlange, die einen Schatz hütet, kommt in vielen europäischen Sagen und Legenden vor – es sei hier nur auf den Fafnir der nordischen Mythologie verwiesen.

Vögel waren zum einen aufgrund ihrer Fähigkeit zu fliegen Symboltiere, aber auch noch aufgrund einer Reihe anderer Eigenschaften. Ihre unverwechselbaren ›Stimmen‹ mögen dazu geführt haben, daß man Raben und Tauben prophetische Gaben zuschrieb. Wasservögel stellten eine Verbindung zwischen Himmel und Wasser her. Die Wachsamkeit von Gänsen und ihre Gewohnheit, Eindringlinge abzuwehren, machte sie vermutlich zu Symboltieren für das Kriegswesen. Sowohl in der irischen als auch der walisischen mythologischen Tradition wurden Zaubervögel, die gewöhnlich in Dreiergruppen auftraten, mit Heilung und Wiedergeburt in der Anderswelt in Zusammenhang gebracht. Die leuchtend gefiederten Vögel der irischen Göttin Clíodna und die Vögel der Rhiannon konnten Kranke mit ihren wohlklingenden Liedern in den Schlaf singen.

Kranichen kam für die Iro-Kelten eine besondere Bedeutung zu. Die Kraniche von Midhir kündeten Unheil an, ihre Anwesenheit beraubte Krieger allen Mutes. Bösartige oder eifersüchtige Frauen wurden zur Strafe in Kraniche verwandelt: diese Vorstellung mag davon abgeleitet gewesen sein, daß man die rauhen Schreie der Vögel mit dem Schelten einer Frau verglich. Der irische Meeresgott Manannán besaß einen Beutel, aus der Haut eines Kranichs gefertigt, der einst eine Frau gewesen war. Daß Kranichen oder Reihern auch in der keltischen Religion eine besondere Bedeutung zukam, wird durch den Tarvostrigaranus, jenen merkwürdigen Stier mit den drei Kranichen, belegt (s. S. 117f.). Aus dem 1. Jahrhundert n. Chr. stammende Darstellungen dieses Wesens sind sowohl aus Paris als auch aus Trier bekannt.

Weil sie Aasfresser und schwarzgefiedert sind, standen Raben und Krähen für Tod. Irische Kriegsgöttinnen – wie die Morrigán und die Badbh – konnten sich in Krähen verwandeln und erschienen in dieser Gestalt als Unglücksbotinnen auf dem Schlachtfeld. In inselkeltischen Mythen kündeten Raben vor allem Böses an. Raben und Krähen waren auch in der bildenden Kunst von Bedeutung, wurden hier aber vorwiegend mit wohltätigen Gottheiten wie Nantosuelta, Epona und den Heilern in Verbindung gebracht, was vermuten läßt, daß sie auch als Glücksboten angesehen wurden. Rituale, bei denen man Raben opferte, wurden in Britannien in der Eisenzeit vorgenommen: in Danebury und Winklebury in Hampshire wurden diese Vögel in Gruben gefunden; vielleicht waren sie Opfergaben für die Mächte der Unterwelt.

Unter den anderen Vögeln, die eine besondere Bedeutung hatten, waren Adler und Schwäne. In der bildenden Kunst wurde der Adler vor allem als Symboltier für alles Himmlische verwandt. In der irischen Mythologie steht dieser Vogel in Verbindung zu Lleu Llaw Gyffes, der vielleicht ein Lichtgott war (s. S. 62).

Es gibt eine Fülle von irischen Geschichten über verzauberte Schwäne, die wechselweise die Gestalt von Vögeln und von jungen Mädchen haben. In den Erzählungen von Midhir und Étain,

Oenghus und Caer (s. S. 68 und 70) werden Zauberschwäne beschrieben, die goldene oder silberne Ketten tragen – vermutlich ein Zeichen für ihre übernatürliche Abkunft. Ein Mythos erzählt von den Kindern des Meeresgottes Lir, die von ihrer eifersüchtigen Stiefmutter mit einem Fluch belegt wurden: neunhundert Jahre lang mußten sie in der Gestalt von Schwänen leben. Daß Schwäne vor allem zu Liebenden in Beziehung gesetzt wurden, mag darauf zurückzuführen sein, daß ein Schwanenpaar ein Leben lang zusammenbleibt.

Epona und Pferde

Pferde genossen ein besonderes Ansehen. Spätestens seit dem 8. Jahrhundert v. Chr. dienten sie im ›barbarischen‹ Europa als Reittiere. Sie wurden auch schon früh als Zugtiere für Karren eingesetzt; die Kelten spannten aber auch zwei Pferde vor ihre leichten, schnellen Streitwagen. Das Pferd bewunderten sie wegen seiner Schönheit und Schnelligkeit, seines Muts und seiner sexuellen Kraft, und es wurde zum Symboltier ihrer aristokratischen Kriegerelite. Das Pferd war in vielen Kulten von Bedeutung: Kriegergötter, wie der Mars Corotiacus von Martlesham in Suffolk, wurden auf einem Pferderücken sitzend dargestellt. Es gibt Anzeichen dafür, daß das Pferd auch als ›Sonnen‹-Tier galt. Pferdeopfer waren an sich selten; wenn sie jedoch vorgenommen wurden, waren sie um so bedeutsamer, weil der Besitzer des Tieres und die ganze Gemeinschaft einen wirklichen Verlust erlitten. Die Überreste zweier gevierteilter Pferdekadaver wurden unter anderen Opfergaben aus dem 6. Jahrhundert v. Chr. in einer Höhle bei Býčiskála in Böhmen gefunden, und das ›Streitwagen-Grab‹ von King's Barrow in Yorkshire barg außer dem Wagen und seinem Besitzer auch das Pferdegespann.

Die größte aller Pferdegottheiten war Epona, deren Name von *epos*, einem keltischen Wort für ›Pferd‹, abgeleitet war. Sie war von solcher Bedeutung, daß auch die Römer ihrer an einem besonderen Tag, dem 18. Dezember, gedachten. Die Anhänger Epo-

Steinfries mit Pferdeköpfen auf dem frühkeltischen Schrein von Roquepertuse in Südfrankreich (5.–4. Jh. v. Chr.)

nas gehörten allen möglichen gesellschaftlichen Gruppen an: in Gebieten an Rhein und Donau, wo römische Truppen stationiert waren, wurde sie von den Kavallerieoffizieren verehrt; sie galt als Schutzpatronin der Pferde sowie der Reiter. In anderen Gegenden, vor allem in Burgund, war sie eine für den gesamten häuslichen Bereich zuständige Göttin; sie hielt ihre Hand über die Pferdezucht und sorgte ganz allgemein für Wohlergehen und Überfluß. Sie ist immer zusammen mit Pferden dargestellt, das heißt entweder zwischen zwei oder mehr Pferden oder Ponys schreitend oder in einer Art ›Damensattel‹, also mit zu einer Seite herabhängenden Beinen, auf einer Stute sitzend. Das Geschlecht ihres Reittieres steht wohl in Beziehung zu ihrer Rolle als Spenderin von Fruchtbarkeit. In Burgund wurde oft noch ein schlafendes oder säugendes Fohlen unter der Stute abgebildet. Die Pferdegöttin war vor allem eine gallische Gottheit, man huldigte ihr aber auch in so weit entfernten Orten wie Plovdiv in Bulgarien.

In irischen und walisischen Mythen wird die symbolische Bedeutung von Pferden immer wieder offenbar: Macha, eine irische Pferdegöttin, besiegt in einem Wettrennen das Gespann des

Königs von Ulster; die walisische Rhiannon hat eine ausgeprägte Affinität zu Pferden, möglicherweise war sie ebenfalls eine Pferdegöttin.

Hunde

Sowohl in klassischen als auch in keltischen Mythen standen Hunde für so verschiedene, aber miteinander zusammenhängende Phänomene wie Heilung, Jagd und Tod. Dem lag einmal die Beobachtung zugrunde, daß ein Hund sich durch Lecken einer Wunde selbst zu heilen vermag, dann die Erfahrungen, die man mit Hunden bei der Jagd gemacht hatte. So kommen Hunde auch häu-

Kleine römisch-keltische Bronzedarstellung von Epona und zwei Pferden aus Wiltshire. Die Göttin trägt ein Joch und eine Schüssel mit Korn, aus der die Tiere fressen

fig in den irischen Mythen vor. Arawn, der Herr von Annwn, der walisischen Anderswelt, besitzt Hunde von übernatürlicher Art, von denen es im *Mabinogi* heißt, daß sie einen weißen Körper und rote Ohren hatten. In dem Taliesin-Gedicht *Cwn Annwn* (»Die Hunde des Annwn«) ist von rot-grau gefleckten Hunden die Rede, welche Todesboten sind. Der Held von Ulster Cú Chulainn steht in enger Beziehung zu Hunden; er heißt ›Hund des Culann‹, weil er die Stelle des großen Hundes des Schmieds einnimmt, den er getötet hat. Auf ihm liegt ein *geis*, ein Bann, der es ihm verbie-

Großes Steinmonument der Nehalennia, die mit einem Hund und Fruchtkörben dargestellt ist. Aus Colijnsplaat in den Niederlanden

tet, Hundefleisch zu essen. Mac Da Thó, der in einem irischen Mythos den Vorsitz über ein Festbankett in der Anderswelt führt, besitzt einen riesigen Hund, den er sowohl den Männern von Ulster als auch denen von Connacht anbietet, um Zwietracht unter ihnen zu säen.

Es gibt Zeugnisse dafür, daß in Gallien und Britannien rituelle Hundeopferungen vorgenommen wurden. In Danebury in Hampshire wurden während der Eisenzeit Hunde (oft zusammen mit Pferden) getötet und in Gruben versenkt, die einmal der Lagerung von Getreide gedient hatten. In dem aus vorrömischer Zeit stammenden Heiligtum von Gournay (Oise) wurden Hunde bei rituellen Mahlzeiten verzehrt. Viele der von den heidnischen Kelten in Europa verehrten Gottheiten standen mit Hunden in Verbindung. Jagdgötter wurden zusammen mit Hunden dargestellt.

Im Heiligtum von Nettleton in Wiltshire huldigte man dem Apollo Cunomaglus, dem ›Hundeherrn‹; das große gallo-römische Heiligtum von Lydney in Gloucestershire war dem Nodens geweiht, einem Gott, der Hundestatuetten als Opfergaben erhielt. Die Meeresgöttin Nehalennia herrschte über zwei Tempel an der niederländischen Nordseeküste, die heute beide im Meer versunken sind. Mehr als einhundert Darstellungen der Göttin haben sich erhalten, in der Mehrzahl der Fälle ist sie von einem großen, Wachsamkeit ausdrückenden Hund begleitet. Nehalennia beschützte Reisende, die auf der Nordsee unterwegs waren, und sorgte für geschäftlichen Erfolg. Die Fruchtkörbe, die ihr beigegeben sind, lassen vermuten, daß sie auch eine Göttin der Fülle war. Die Hundefigur ist möglicherweise ein Sinnbild für Schutz und Treue.

Tarvostrigaranus und die Stiermythen

Stiere wurden wegen ihrer Stärke, ihrer Männlichkeit und ihrer ungestümen Wildheit verehrt. Ochsen versinnbildlichten die Kraft der Zugtiere, die beim Ackerbau eingesetzt wurden, und standen daher auch für Reichtum, den man sich durch die Landwirtschaft erwarb. Stieropfer waren nicht selten, und in Gournay

Büste eines Gottes mit Geweihstangen, von denen Halsreifen herabhängen. Durch die oben angebrachte Inschrift ist sie dem Cernunnos gewidmet. Frühes 1. Jh. n. Chr. Aus Notre-Dame in Paris

wurden auch ältere Ochsen zeremoniell geschlachtet. In seiner *Naturgeschichte* berichtet Plinius von einem von den Druiden vorgenommenen Stieropfer.

Heilige Stiere wurden häufig in der religiösen Kunst dargestellt: in Hallstatt und in Býčiskála hat man Figurinen gefunden, die aus dem 6. Jahrhundert v. Chr. stammen. Die keltischen Künstler gaben dem Stier oft drei Hörner; das Horn stand für Angriffslust und Fertilität, und vermutlich sollte durch die Hinzufügung eines zusätzlichen Horns die heilige und symbolkräftige Zahl Drei erreicht werden. Steinerne Stiere mit drei Hörnern wurden in dem burgundischen Heiligtum Beire-le-Châtel als Votivgaben dargebracht. Ähnliche Figurinen hat man in Gallien und in Britannien gefunden. Aus einem Heiligtum bei Maiden Castle in Dorset stammt eine Stierfigurine aus dem 4. Jahrhundert n. Chr.; der Rücken des Tieres war einst mit drei Frauengestalten geschmückt. Irische Sagen berichten von Frauen, die in Kraniche verwandelt wurden, und die Figurine aus Maiden Castle erinnert an einige merkwürdige, auf das 1. Jahrhundert n. Chr. zu datierende Dar-

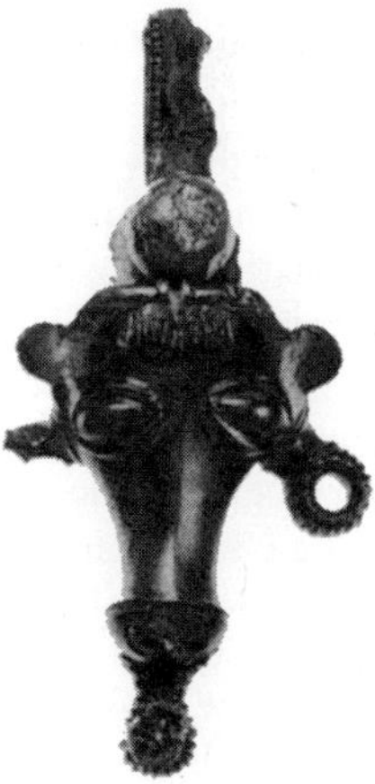

Bronzener Beschlag für einen Eimer in Gestalt eines Stierkopfes. Aus Welshpool in Wales; späte Eisenzeit

stellungen aus Kontinentaleuropa: ein Relief aus Paris zeigt einen Stier, auf dessen Rücken und Nacken drei Kraniche sitzen; die dazugehörige Inschrift lautet: »Tarvostrigaranus«, ›Stier mit drei Kranichen‹. Eine fast identische Darstellung findet sich auch auf einem Stein in Trier. In beiden Fällen sind die Vögel und der Stier zusammen mit Weidenbäumen und einem göttlichen Holzfäller abgebildet. Die Bedeutung dieser Gruppen ist nicht klar, aber einige Wissenschaftler sind der Meinung, daß es Beziehungen zum

›Baum des Lebens‹, zum Frühjahr und zur Fruchtbarkeit gibt. Möglicherweise ist auch ein bestimmter keltischer Mythos ins Bild gesetzt, der uns in seinen Einzelheiten nicht bekannt ist. Stiermythen nehmen in der frühen irischen Literatur einen bedeutenden Platz ein. Der wichtigste Text dieser Art ist die *Táin Bó Cuailnge* aus dem Ulster-Zyklus. Der *tarbhfess* war ein von den Druiden vollzogener Ritus, der der Wahrheitsfindung diente: ein Stier wurde geopfert, und sein Fleisch und die daraus gekochte Brühe wurden von einem Mann verzehrt, der dann im Traum den rechtmäßigen neuen König erblicken sollte.

Mischwesen und Gestaltwandel

Die religiös bedingte Affinität, die die Menschen für Tiere empfanden, wird vor allem daraus deutlich, daß die Götter in halb tierischer Gestalt dargestellt wurden und daß in den inselkeltischen Mythen so oft das Motiv des Gestaltwandels vorkommt.
Ein Steinrelief aus Paris, das aus dem 1. Jahrhundert n. Chr. stammt und zu demselben Denkmal gehört wie die ›Tarvostrigaranus‹-Darstellung, zeigt die Büste eines älteren Mannes, der die Ohren eines Hirsches hat und zwei Geweihstangen auf dem Kopf trägt, von denen zwei Halsreifen herabhängen. Die darüberstehende Inschrift gibt ihn als »Cernunnos« (›Der Gehörnte‹) zu erkennen. Ähnliche Darstellungen sind aus vorrömischer und aus gallo-römischer Zeit bekannt, die älteste stammt aus dem 4. Jahrhundert n. Chr. und ist im Tal von Camonica in den Fels gemeißelt. Der geweihtragende Gott begegnet auch auf dem Silberkessel von Gundestrup: er sitzt mit gekreuzten Beinen, ist mit zwei Halsreifen geschmückt, und neben ihm steht sein Hirsch. Unter dem Gott ist eine Schlange mit Widderhörnern zu sehen. Die meisten Darstellungen des Cernunnos sind auf die römische Periode zu datieren und stammen aus Nordostgallien. In Sommerécourt und in Étang-sur-Arroux in Gallien hat man Wiedergaben des Gottes mit einer Schlange gefunden, die aus einem Napf frißt, den er im Schoß hält. Eines der seltenen britannischen Beispiele zeigt

ihn mit zwei Schlangen, die seine Beine bilden und sich bis zur Höhe seines Kopfes aufrichten, um Korn oder Früchte zu fressen. Einige gallische Statuetten weisen Löcher im Kopf des Gottes auf, in das die Geweihstangen eingesetzt werden konnten – was auf ein dem Wechsel der Jahreszeiten gewidmetes Ritual hindeutet. Cernunnos ist ein wilder Naturgott, der Fertilität und Fülle verkörpert. Er steht der Tierwelt so nahe, daß er einige Merkmale von Tieren angenommen hat, wodurch seine Macht als Herr der Natur nur noch vergrößert wird.

Verwandt mit Cernunnos sind die gehörnten Götter, die die Züge von Stieren, Widdern oder Ziegenböcken tragen. Sie waren vor allem bei den Briganten in Nordbritannien verbreitet; häufig sind sie als Krieger mit aufgerecktem männlichen Glied dargestellt, wodurch sie gleichzeitig für kämpferische Aggression und sexuelle Kraft standen.

Ein Motiv, das schon in den allerfrühesten keltischen Mythen immer wiederkehrt, ist das der verzauberten, magischen Tiere. Sie können von übernatürlicher Art sein, manchmal sind sie Götter, manchmal auch Menschen, die zur Strafe oder aus Rache in Tiere verwandelt worden sind. Es wurde bereits auf Wesen dieser Art hingewiesen, zum Beispiel auf Twrch Trwyth, den Eber, der einst ein menschlicher König war, der wegen seiner Bösartigkeit verzaubert wurde. Erwähnt wurden auch schon die Menschen, die Schwanengestalt annehmen können oder müssen, und die irischen Rabengöttinnen. Im *Mabinogi* werden Gwydion und Gilfaethy von Math, dem Herrn von Gwynedd, nacheinander in eine Reihe verschiedener Tiere verwandelt.

In der irischen Mythologie wimmelt es von verzauberten Stieren, Wildschweinen, Hirschen und Vögeln. Ein Charakteristikum all dieser Geschöpfe ist es, daß nur ihre äußere Gestalt sich verändert hat; sie denken nach wie vor wie Menschen und können oft auch weiterhin sprechen, das heißt, sie wechseln ihre ›Haut‹ wie vergleichbare Geschöpfe in der nordischen Mythologie.

Außer den Göttern oder Sterblichen in Menschengestalt begegnen in den westkeltischen Mythen auch Tiere mit übernatürlichen Fähigkeiten, die sich mit den Menschen verständigen können.

Culhwch zum Beispiel kommt mit solchen Zauberwesen zusammen, die ihm bei seiner Suche beistehen. Einer von diesen ist der Salm von Llyn Llaw, ein Geschöpf, das dem irischen Salm des Wissens, über den im Fionn-Zyklus berichtet wird, sehr ähnelt. Das Fleisch des Salms des Wissens verleiht dem jungen Finn Weisheit. Er selbst hat sein Wissen dadurch erhalten, daß er die Nüsse von neun Haselnußbäumen geschluckt hat, die neben einem Brunnen am Meeresboden wachsen – das heißt, er hat es aus der Anderswelt bezogen.

Druiden, Opfer und Ritual

Dieses Buch handelt von Mythen, und sein Hauptanliegen ist es daher, Geschichten und Glaubensansichten über die übernatürliche Welt zu analysieren. In diesem Zusammenhang ist es jedoch auch von Bedeutung, einen Blick auf die ›Mechanismen‹ der keltischen Religion zu werfen. Im folgenden sollen daher gewisse Aspekte rituellen Verhaltens untersucht werden, das heißt das Verhalten der Menschen, die mit der Welt jenseits der Grenzen menschlicher Wahrnehmung zu kommunizieren versuchten.

Druiden, Seher, Barden: eine internationale keltische Priesterschaft?

»Den Druiden obliegen die Angelegenheiten des Kultus, sie richten die öffentlichen und privaten Opfer aus und interpretieren die religiösen Vorschriften. Eine große Zahl von jungen Männern sammelt sich bei ihnen zum Unterricht, und sie stehen bei den Galliern in großen Ehren.«

Eine Reihe klassischer Schriftsteller erwähnt die Druiden: Strabo, Tacitus, Lukan und Ausonius sind nur einige von ihnen. Die umfassendsten Informationen liefert Caesar, aus dessen *De bello Gallico* das obige Zitat stammt (6,13). Er merkt an, daß die Druiden einen hohen Rang innehatten und ihr Status dem der ›Ritter‹ nahezu gleichkam. Er schildert die Härte ihrer Ausbildung, die bis zu zwanzig Jahren dauern konnte und unter anderem darin bestand, daß sie mündlich Überliefertes, das durch viele Generationen hindurch weitergegeben worden war, auswendig lernen mußten. Jedes Jahr versammelten sich die Druiden zu einer bestimmten Zeit »an einem geweihten Ort im Gebiet der Carnuten, den man für das Zentrum ganz Galliens hält«, berichtet Caesar. Er hebt weiter hervor, daß das Druidentum in Britannien entstand, von wo aus es sich in Gallien verbreitete.

Bronzene Priesterkrone aus dem römisch-keltischen Tempel von Hockwold-cum-Wilton in Norfolk

Die Mehrzahl der griechischen und römischen Autoren berichtet übereinstimmend, daß die Hauptaufgabe der Druiden darin bestand, durch Deutung bestimmter Phänomene die überirdischen Kräfte zu kontrollieren. Zu diesem Zweck wurden offenbar Menschen geopfert, indem man sie erstach, erwürgte oder auf andere Weise ums Leben brachte. Die Druiden beobachteten den Todeskampf des Opfers oder überprüften dessen Gedärme, um daraus Vorhersagen für die Zukunft abzuleiten.

Tacitus berichtet, daß solche Tötungen auf der Insel Anglesey stattfanden, als diese von einer Invasion durch die Römer bedroht war. Die Deutung des Opfers ermöglichte es den Kelten, die günstigste Zeit für bestimmte – die ganze Gemeinschaft betreffende – Handlungen festzusetzen: wann man in den Krieg ziehen, wann man säen oder ernten, wann man einen neuen König wählen sollte usw. Der aus dem ersten vorchristlichen Jahrhundert stammende gallische Coligny-Kalender ist eines der frühesten erhaltenen Zeugnisse für die Existenz einer keltischen Schriftsprache (für die allerdings römische Buchstaben verwendet wurden). Es handelt sich um eine große Bronzescheibe, auf der die einzelnen Monate eingraviert sind. Die Monatseinteilung richtet sich nach den Mondphasen, durch ›eingeschaltete‹ Monate wird jedoch die Korrespondenz zum Sonnenjahr hergestellt. Jeder dieser Monatsabschnitte ist in eine glückbringende und eine unglückbringende Hälfte unterteilt, die mit den Abkürzungen MAT, ›gut‹, und ANM, ›nicht gut‹, gekennzeichnet ist. Möglicherweise wurde dieser Kalender von den Druiden angelegt, um günstige Zeitpunkte für wichtige religiöse und weltliche Aktivitäten bestimmen zu können. Plinius berichtet über ein von den Druiden vorgenommenes Opfer, das Unfruchtbarkeit beseitigen sollte: In der sechsten Nacht nach Neumond stiegen die Druiden auf eine heilige Eiche und schnitten mit einer ›goldenen‹ (wahrscheinlich bronzenen) Sichel einen Mistelzweig ab; der Zweig wurde in einem weißen Umhang aufgefangen. Anschließend wurden zwei weiße Stiere geopfert. Man glaubte, daß ein Getränk, dem Mistel beigegeben war, Unfruchtbarkeit heilte.

Die Druiden hatten wahrscheinlich großen Einfluß in religiösen, aber auch in politischen Angelegenheiten – zumindest in der Zeit der ›freien‹ Kelten. Dies dürfte in der gesamten keltischen Welt der Fall gewesen sein, obwohl wir nur Belege für Gallien und Britannien besitzen. Unter römischer Herrschaft muß die Macht der Druiden allmählich abgenommen haben. Einige der frühen Kaiser tolerierten die Druiden, andere versuchten, sie auszurotten. Aus Bemerkungen, die der Dichter Ausonius von Bordeaux macht, geht hervor, daß während des 4. Jahrhunderts n. Chr. noch Druiden in Gallien tätig waren. Aber als das Hauptgerüst der ›heroischen‹ Gesellschaft der Kelten zusammenbrach, kamen auch die Druiden zu Fall und büßten den größten Teil ihres Einflusses ein. Es gibt keine archäologischen Zeugnisse für die Druiden an sich, aber einige ihrer Insignien, Exemplare ihres Kopfschmucks und ihrer Szepter haben sich erhalten. Bei Grabungen auf dem Gelände des Heiligtums von Gournay in Nordgallien zutage geförderte Objekte lassen vermuten, daß dort ständig eine Gruppe von Be-

Lebensgroße römisch-keltische Maske aus Zinn, die vielleicht einmal an der Tür eines Schreins befestigt war. Sie wurde in einem Abflußkanal der heiligen Bäder von Sulis in Bath gefunden

diensteten residierte, um die rituellen Handlungen vorzunehmen. Ob diese Bediensteten Druiden waren oder nicht, läßt sich nicht feststellen.

In den irischen Mythen gibt es zahllose Erwähnungen von Druiden, obwohl diese nach der Christianisierung den größten Teil ihrer Macht verloren hatten. Im *Buch der Invasionen* wird von einem der ersten Eroberer, Partholón, berichtet, daß er zusammen mit drei Druiden in Irland ankam. Von der Göttin Brigit heißt es, daß sie im Haushalt eines Druiden auf die Welt kam, und Finn soll von einem Druiden aufgezogen worden sein. Der König von Ulster, Conchobar, besaß einen eigenen Hof-Druiden, Cathbadh, der beträchtlichen Einfluß ausübte. Den Druiden oblag es, das *tarbhfess*-Ritual auszuführen, das der Ermittlung des neuen Königs diente (s. S. 125). Die irischen Druiden spielten vor allem als Seher eine Rolle: so sagte zum Beispiel Cathbadh den zerstörerischen Einfluß der noch ungeborenen Deirdre auf Ulster voraus. Der Kommentator Cormac äußert sich im 9. Jahrhundert zu einem *Himbas Forosnai* genannten Ritual, bei dem rohes Fleisch von Schweinen, Hunden oder Katzen gekaut werden mußte. Die irischen Druiden verhängten vermutlich auch die *geissi*, Verbote, die wichtigen Personen auferlegt wurden und an die diese sich halten mußten, wenn sie nicht zu Fall kommen wollten.

Sowohl in griechischen und römischen Texten als auch in irischen ist von drei Klassen von ›Geistlichen‹ und Gelehrten die Rede: den Druiden, den Barden und den Sehern. Strabo zufolge war das Gebiet der Barden vor allem die Dichtkunst. Die irischen Barden sangen Loblieder und waren an Zeremonien beteiligt, die mit Festmahlen in der Anderswelt zu tun hatten. Durch die Vermittlung des Barden Finnegas erhielt Finn Weisheit von dem Salm des Wissens.

Die Seher (lateinisch *vates*, irisch *filidh*) waren vermutlich in Irland sehr geachtet, wo sie auch eine geistliche Funktion hatten: sie waren für die Erhaltung und die Weitergabe der mündlich tradierten heiligen Texte verantwortlich. Sie galten als Propheten und hatten die Macht, mittels ihrer Satire zu verletzen oder gar zu töten. Noch lange nach der Christianisierung Irlands waren die *filidh* als Seher, Lehrer und Berater tätig und übernahmen viele der traditionellen Aufgaben der Druiden. Tatsächlich hatten sie noch bis ins 17. Jahrhundert hinein eine gesellschaftliche Funktion inne. Brigit war die Schutzpatronin der Seher; sie galt als zuständig für Wahrsagen, Prophetie, Lernen und Dichtkunst.

Heilige Orte

»Da stand ein Hain, seit Menschengedenken nie entweiht; mit verschränkten Ästen bildete er einen Bezirk von Dunkelheit und Schattenkühle, dessen Kuppel Sonnenstrahlen nicht durchdrangen. [...] ein Götterkult barbarischen Brauchs: Die Altäre waren mit gräßlichen Schlachtbänken versehen und alle Bäume mit Menschenblut geweiht. [...] Diesen Ort besuchten keine Leute, um ihn aus der Nähe zu verehren, vielmehr überließ man ihn den Göttern: wenn Helios am Mittagshimmel stand oder dunkle Nacht das Firmament umfing, so wagte nicht einmal der Priester einzutreten, fürchtete er doch, den Herrn des Hains zu überraschen.«

So beschreibt Lukan in seinem Epos *Pharsalia* (3,399–425; Übersetzung von Wilhelm Ehlers) einen heiligen Hain der Kelten, der sich in der Nähe von Marseille befand, und dessen Bäume von Caesars Truppen im 1. Jahrhundert v. Chr. gefällt wurden. Da die Kelten glaubten, daß alle Erscheinungen der Natur von Geistern beseelt seien, verehrten sie diese an Orten, die ebenfalls Teil der Natur waren. Haine waren wichtige Kultstätten wegen der Heiligkeit bestimmter Bäume, aber vielleicht auch, weil sie dunkel, geheimnisvoll und undurchdringlich waren. Während es natürlich keine archäologischen Zeugnisse für heilige Haine oder Wälder gibt, existieren genügend Hinweise auf solche Orte in der klassischen Literatur. Tacitus erwähnt einen Hain der Druiden auf Anglesey, und Strabo spricht von Drunemeton, einer ähnlichen Kultstätte der Galater in Kleinasien.
Einige der geweihten Orte waren von der profanen Außenwelt nur durch eine symbolische Schranke abgegrenzt, die den numinosen Bereich umgab. Ein Teil des Terrains wurde einfach für heilig erklärt und war damit eine Stelle, an der man mit der übernatürlichen Welt in Verbindung trat. Der Golering in Deutschland war ein großer abgezäunter Bezirk, der im 6. Jahrhundert v. Chr. angelegt wurde. In seiner Mitte stand ein hölzerner Pfosten von zwölf Metern Höhe, der vielleicht einen heiligen Baum darstellen sollte. Libenice in Böhmen, das auf das 4. Jahrhundert v. Chr. zu-

rückgeht, ist ein großes, nahezu rechteckiges umfriedetes Gelände, an dessen einem Ende sich ein Bauwerk ohne Dach befindet. Innerhalb dieses ›Schreins‹ fand man die Überreste von zwei Balken, an denen einst bronzene Torques befestigt waren – vielleicht handelt es sich um primitive Holzstatuen von Gottheiten, die diese keltischen Priesterinsignien trugen. Weiterhin wurden die Überreste von Opfertieren entdeckt und der Leichnam einer Frau, möglicherweise einer Priesterin des Heiligtums. Mehrere Gruben waren über einen Zeitraum von vierundzwanzig Jahren in den Boden des Gebäudes gegraben worden, was darauf schließen läßt, daß dort kultische Zeremonien vorgenommen wurden.

Eine andere Art von geheiligten Orten waren die Viereckschanzen, deren Existenz man vor allem für Mitteleuropa nachweisen kann. Es handelt sich um quadratische abgezäunte Bezirke, innerhalb deren sich ein oder mehrere für Rituale benutzte Schächte befanden. In der Viereckschanze von Schmiden bei Fellbach in der Nähe von Stuttgart hat man in einem Schacht aus Eichenholz geschnitzte Tierfiguren gefunden, die mit Hilfe der Dendrochronologie auf das späte 2. Jahrhundert v. Chr. datiert werden konnten. Um Gruben, Schächte und Brunnen bildeten sich vielleicht Rituale aus, weil man glaubte, an solchen Orten mit den Mächten der Unterwelt in Verbindung treten zu können. Jedenfalls stellen sie eine eigene Gruppe geheiligter Orte dar. Die Hügelbefestigung von Danebury in Hampshire hat zahllose Zeugnisse dafür geliefert, daß dort um Gruben, die vormals zur Getreidelagerung dienten, religiöse Zeremonien stattfanden. Körper von Menschen und von Tieren wurden – zusammen mit anderen Opfergaben – in diese Gruben gestürzt. Vielleicht wollte man auf diese Weise mit den übernatürlichen Mächten verkehren oder diese günstig stimmen.

Die Kelten der Eisenzeit kannten auch von Menschenhand errichtete ›Schreine‹. Anders als im antiken Rom und Griechenland etwa scheinen diese sakralen Bauten aber keine bestimmte, typische Form gehabt zu haben. Es ist daher für Archäologen manchmal nur schwer zu entscheiden, ob sie auf einen Tempel oder ein einfaches Wohnhaus gestoßen sind. Man kann einen Sakralbau nur als solchen identifizieren, wenn man in seiner Nähe Spuren ritueller Handlungen ausfindig macht. Manchmal wird ein keltisches Heiligtum auch als solches ausgewiesen, weil in späterer Zeit über ihm ein römischer Tempel errichtet wurde. Im Gebiet von Gournay befand sich ein *oppidum* der Bellovaci, das ein Heiligtum aus vorrömischer Zeit einschloß, in dem vielfältige Rituale stattgefunden haben müssen. Im dritten vorchristlichen Jahrhundert bildete eine tiefe Grube den Mittelpunkt der Kultstätte; in sie wurden die Kadaver geweihter Ochsen geworfen, die man dann der Verwesung überließ. Später wurden die Knochen sorgfältig in einem Graben deponiert, der den ganzen Bezirk umgab. Jungschweine und Lämmer wurden geschlachtet und bei religiösen Festmahlen verspeist; über zweitausend Waffen, die auf rituelle Weise zerbrochen worden waren, wurden hier den Göttern dargebracht. Das Heiligtum von Hayling Island stammt aus der späten Eisenzeit, es bestand aus einem kreisförmigen Holzgebäude, den ein Hof umgab. Auf diesem Hof hat man zahlreiche Zeugnisse für religiöse Zeremonien gefunden wie rituell ›getötete‹ Waffen und die Überreste geweihter Tiere. Darunter befanden sich auffallenderweise keine Rinder, vermutlich tötete man sie aufgrund eines an diesem Ort geltenden Tabus nicht. Ein rechteckiges Gebäude mit einem überdachten Vorbau, das zu der Hügelfestung von South Cadbury in Somerset gehört, läßt sich aufgrund der zu ihm führenden Doppelreihe von Gräbern, in denen Jungtiere verschiedener Rassen bestattet wurden, als Heiligtum identifizieren. Die große runde Anlage bei Navan (County Armagh) diente mit Sicherheit sakralen Zwecken. In ihrer Mitte stand ein großer Pfosten; der Baum, aus dem er gefertigt war, wurde, wie sich mit Hilfe der Dendrochronologie ermitteln ließ, um 95/94 v. Chr. gefällt. Bald nachdem der Bau beendet war, wurde die ganze Anlage absichtlich niedergebrannt und unter einem großen *cairn*, einem Steinhaufen, verborgen.

Opfer und Votivgaben

Eine Gabe wird dann zum Opfer, wenn sie für den Gebenden selbst einen Wert besitzt. Die Kelten brachten ihren Göttern kostbare Besitztümer dar: dabei konnte es sich um Gegenstände handeln – wie Waffen oder Werkzeuge –, aber auch um Tiere und, gelegentlich, um Menschen. Je wertvoller die Gabe war, desto wirkungsvoller das Opfer. Ein Menschenopfer fand wohl nur in Zeiten großer Not statt, oder wenn man den übernatürlichen Mächten seine ungewöhnlich große Dankbarkeit bezeugen wollte.
Obwohl sich klassische Autoren ausführlich dem Phänomen des Menschenopfers widmen, gibt es kaum archäologische Zeugnisse, die auf Ritualmorde schließen lassen. Lukan und Tacitus schildern Altäre in heiligen Hainen, auf denen sich menschliche Überreste häufen; es gibt Berichte, daß Missetäter fünf Jahre lang eingesperrt und anschließend gepfählt wurden. Menschen sollen erstochen, gehängt, mit Pfeilen durchbohrt oder in großen geflochtenen Körben verbrannt worden sein. Wenn man das Beweismaterial untersucht, muß man vor allem zwischen den Überresten wirklich Geopferter und den Leichen von Menschen unterscheiden, die nach einem natürlichen Tod einem Ritual unterzogen wurden. Es gibt kaum eindeutige Belege für Menschenopfer im keltischen Europa, bei einigen Leichenfunden liegt jedoch die Vermutung nahe, daß dies die Todesursache war. Relativ sicher ist dies im Fall des sogenannten ›Lindow Man‹. Es handelt sich um einen jungen Mann aus der Eisenzeit (ungefähr 300 v. Chr.), den man umbrachte – durch harte Schläge auf den Schädel, Strangulieren und Durchschneiden der Kehle –, bevor man ihn mit dem Gesicht nach unten in einen flachen Teich bei Lindow Moss in Cheshire warf. Der junge Mann war unbekleidet, sein Körper war jedoch bemalt, und er trug ein Armband aus Fuchsfell. Unmittelbar vor seinem Tod verzehrte er etwas, das eine rituelle Mahlzeit gewesen sein kann: aus verschiedenen Sorten von Getreide und Samen gebackenes Brot.
In den volkssprachlichen Texten gibt es kaum Hinweise auf Menschenopfer; einer Überlieferung zufolge wurde jedoch ein irischer

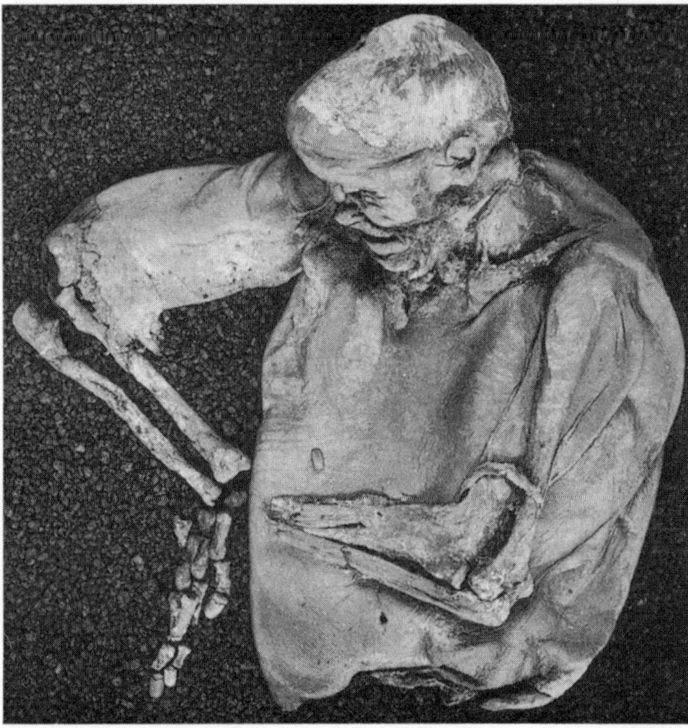

Der Lindow-Mann, die aus der Eisenzeit stammende Leiche eines jungen Mannes, die in einem Moortümpel bei Lindow Moss in Cheshire entdeckt wurde

König anläßlich des Samhain-Festes rituell getötet, und zwar auf dreifache Weise: durch Verbrennen, Verwunden und Ertränken.

Daß Tieropfer in der Antike gebräuchlich waren, ist allgemein bekannt. Es ist jedoch wichtig, zwischen den verschiedenen Formen, in denen sie vollzogen wurden, zu unterscheiden. Tiere wurden oft geschlachtet und ihr Fleisch zwischen der Gemeinde der Menschen und den Göttern aufgeteilt. Einige Stücke – gewöhnlich die besten – wurden verzehrt, der Rest vergraben oder verbrannt. Die zweite gebräuchliche Art der Opferung, bei der das ganze Tier vergraben oder verbrannt wurde, bedeutete einen beträchtlichen ökonomischen Verlust, da man nicht nur ein an sich schon wertvolles Schaf, ein Schwein oder ein Rind hergab, sondern auch auf die Produkte verzichtete, die dieses Tier lieferte. Beide Arten der Opferung wurden in Gournay praktiziert: Ochsen und Pferde wurden getötet und vollständig den Göttern überlassen, Lämmer und Ferkel wurden teilweise verzehrt. In Danebury wurden manchmal die getöteten Tiere in Massengräbern – für die alte Gruben zur Getreidelagerung dienten – beigesetzt. Auf keltischen Friedhöfen hat man Anzeichen dafür gefunden, daß dort Tiere bei rituellen Mahlzeiten verzehrt wurden, daß aber auch Fleischstücke für die Toten auf ihrer Reise in die Anderswelt übriggelassen wurden. Interessant ist, daß es sich bei den von Kelten rituell geschlachteten Tieren vorwiegend um Haustiere handelt.

Votivgaben

Was Votivgaben, also die Darbringung von Gegenständen betrifft, sind vor allem zwei Aspekte von Interesse: zum einen die Praxis, solche Objekte dem Wasser zu übergeben, zum anderen der Brauch, die Gaben zu zerbrechen. Beide Rituale wurden in Europa schon lange vor der Blütezeit der Kelten praktiziert. Ihnen scheint die Vorstellung zugrunde zu liegen, daß man die Votivgaben durch rituelle ›Tötung‹ der profanen Welt entziehen, das heißt sie für die Menschheit unzugänglich oder wertlos machen mußte. Erst dadurch wurden sie zu angemessenen Geschenken für die übernatürlichen Wesen. Bei Flag Fen in Cambridgeshire wurden Metallgegenstände, von denen die meisten zuvor zerbrochen worden waren, von ungefähr 1200 bis 200 v. Chr., also über eine Periode von eintausend Jahren hinweg, am Rande des Moores versenkt. In dem heiligen See von Llyn Cerrig Bach auf Anglesey wurden im ersten vorchristlichen Jahrhundert Waffen deponiert, die man zuvor verbogen hatte. Die keltische Göttin der Heilung, Sulis, erhielt Tausende von römischen Münzen als Geschenk. Sie

Bronzeschild, der als Votivgabe bei Battersea (London) in die Themse geworfen wurde (1. Jh. v. Chr.). Der Schild ist zu zerbrechlich, als daß er jemals im Kampf benutzt worden sein könnte. Er wurde vermutlich eigens zum Zweck der Opferung angefertigt

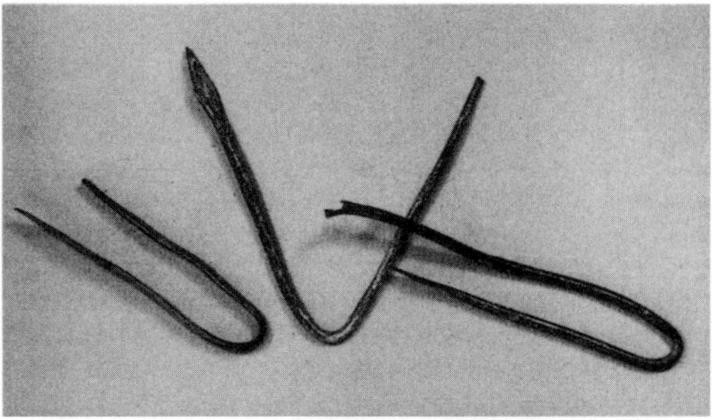

Rituell verbogene Modelle von Speeren aus dem römisch-keltischen Tempel bei Woodeaton in Oxfordshire

wurden in das große Wasserreservoir in Bath geworfen, nachdem man viele von ihnen an den Rändern beschnitten hatte, um sie für ihren eigentlichen Gebrauch wertlos zu machen. Einige der Miniaturwaffen, die den Göttern in ihren Heiligtümern dargebracht wurden, waren in zwei Hälften zerbrochen oder umgebogen worden. In Harlow wurden vier Modelle von Eisendolchen gefunden, von denen zwei vor der Übergabe an die Götter zerbrochen worden waren.

Der Kopfkult

Daß die Kopfjagd bei bestimmten Keltenstämmen zur kultischen Tradition gehörte, wird durch archäologische Funde, die klassischen Autoren und die volkssprachliche Literatur bezeugt. Livius, Strabo und Diodorus schildern die Enthauptung von gefallenen Kriegern, deren Köpfe entweder als Trophäen aufbewahrt oder in Heiligtümern den Göttern dargebracht wurden. In der keltisch-ligurischen Region von Südgallien findet man in einer Gruppe von

Heiligtümern und *oppida* aus vorrömischer Zeit Belege dafür, daß es eine rituelle Kopfjagd gab. In der Eingangshalle des auf einer Klippe gelegenen Heiligtums von Roquepertuise waren die Schädel im Kampf getöteter junger Männer angenagelt. In Britannien

Ein ›abgetrennter Kopf‹ aus Stein aus einem römisch-britannischen Heiligtum bei Caerwent in Südwales

standen vor den Eingängen zu Hügelfestungen wie zum Beispiel Bredon Hill (Worcestershire) Pfähle, auf denen Köpfe befestigt waren. Es waren symbolische Wachtposten, die die Befestigungsanlagen vor Feinden schützen sollten. Im späten gallo-römischen Britannien – vor allem im 3. und 4. Jahrhundert n. Chr. – wurden

bestimmte Tote enthauptet, bevor man sie ins Grab legte. Besonders merkwürdige Rituale müssen bei Kimmeridge in Dorset stattgefunden haben. Man hat dort die Skelette von mehreren alten Frauen gefunden. Ihnen war nicht nur der Schädel abgeschlagen worden, sondern von den Schädeln hatte man auch noch die Unterkiefer entfernt. Man ist versucht, das so zu deuten, daß diese Frauen für Hexen gehalten wurden, die man durch die seltsame ›Operation‹ darin hindern wollte, auch noch nach dem Tod zu sprechen, also aus dem Grab heraus ihren Zauber wirken zu lassen. Die wichtige Rolle, die dem menschlichen Kopf in keltischen Ritualen zukam, wird auch durch sein häufiges Vorkommen in bildlichen und figürlichen Darstellungen aus gallo-römischer Zeit dokumentiert.
Auch in walisischen und irischen Mythen wird dem menschlichen Kopf auf eine besondere Art Aufmerksamkeit geschenkt. Zwei Geschichten zeigen, daß die Westkelten abgetrennten Köpfen – vor allem solchen von übermenschlichen Helden – magische Eigenschaften zuschrieben. Den Männern von Ulster, die durch Machas Fluch von einer Schwäche ereilt werden, wird prophezeit, daß sie ihre Kraft zurückgewinnen werden, wenn sie aus dem riesigen Schädel von Conall Cernach Milch trinken. In dieser Erzählung werden dem Kopf mithin die Eigenschaften eines Kessels der Wiedergeburt zugeschrieben. Im *Mabinogi* wird die Geschichte Bendigeidfrans erzählt, dessen abgeschlagener Kopf sprechen kann und so die Gefährten des toten Helden ermutigt und ihnen auf ihrer langen Reise von Harlech nach London Glück bringt (s. S. 56).

Tod, Wiedergeburt und die Anderswelt

Daß die Kelten eine stark reflektierte und letztlich positive Einstellung gegenüber dem Tod hatten, geht aus literarischen und archäologischen Zeugnissen hervor. Iulius Caesar berichtet, daß die Gallier an einen Ahnengott glaubten, den er mit Dispater, dem römischen Totengott, gleichsetzte.

Seelenwanderung

»Der Kernpunkt ihrer Lehre ist, daß die Seele nach dem Tod nicht untergehe, sondern von einem Körper in den anderen wandere.«

Caesar läßt dieser Ausführung über die Lehre der Druiden (*De bello Gallico* 6,14) noch eine bissige Bemerkung folgen; er meint, daß die Druiden solche Vorstellungen nur verbreiteten, weil »so die Angst vor dem Tod bedeutungslos« werde und die gallischen Krieger mit besonderer Tapferkeit kämpften. Lukan berichtet im 1. Jahrhundert, daß die Kelten den Tod lediglich als vorübergehende Unterbrechung eines langen Lebens ansähen, als Übergangsstadium zwischen einer Existenz und der nächsten. Diodorus Siculus merkt an, daß die Kelten die Seele eines Menschen für unsterblich hielten und glaubten, daß die Toten nach einer gewissen Anzahl von Jahren wieder zum Leben erwachten, das heißt, ihre Seele dann einen anderen Körper bewohne. Es scheint also eine typisch keltische Einstellung zum Tode gegeben zu haben, die die zeitgenössischen Beobachter aus dem Mittelmeerraum als solche erkannten, eine Haltung, der der Glaube an eine Wiedergeburt zugrunde lag. In der Beschreibung der Unterwelt, die Vergil in seiner *Äneis* gibt, begegnet die Vorstellung, daß die Seele nacheinander in einer Reihe von Körpern lebt, in ganz ähnlicher Weise wieder.

Vorstellungen von der Anderswelt

In den volkssprachlichen Mythen wird von der Anderswelt, in die die Menschen nach dem Tod eingehen, ein sehr ambivalentes Bild gezeichnet. Es wird viel über die Anderswelt der Glückseligen berichtet, in der die Verstorbenen ganz ähnlich wie in der irdischen Welt leben – aber noch viel besser. Dort gibt es weder Schmerz, noch Krankheit, keinen Verfall und kein Altern. Es ist eine von Musik, Festen und Schönheiten aller Art erfüllte Welt, in der es allerdings immer noch Kämpfe zwischen Helden gibt. Die Anderswelt hat jedoch noch eine zweite Seite; sie kann auch dunkel sein und voller Gefahren – dies vor allem für Menschen, die sie vor ihrem Tod besuchen.

Wie schon erwähnt, hieß die walisische Anderswelt Annwn oder Annwfn; sie wurde als ein fürstlicher Hof beschrieben, der einen mit seiner Pracht berauschte. Pwyll, der Herr von Dyfed, lebt ein Jahr lang in Annwn: »Von allen Höfen, die er auf der Erde gesehen hatte, war dies der, der am besten versehen war mit Fleisch und Trank, mit Gefäßen von Gold und königlichen Juwelen.« Andere Texte liefern weitere Einzelheiten. In *Die Kriegsbeute von Annwn* wird ein Zauberkessel beschrieben, das für die Anderswelt typische Gefäß der Wiedergeburt. Es handelt sich um einen großen, mit Diamanten besetzten Kessel, der durch den Atem von neun Jungfrauen erhitzt wird – vielleicht verkörpern diese mit ihrer unberührten Weiblichkeit ähnlich wie Maths Fußhalterin (s. S. 60) Fertilität. Der Kessel von Annwn weigert sich, Speisen für einen Feigling zuzubereiten. Die Mehrdeutigkeit des Ortes kommt in der Beschreibung der *Cwn Annwn*, der Hunde, zum Ausdruck. Im *Mabinogi* werden sie als weiß mit roten Ohren geschildert – das sind typische Farben für Wesen aus der Anderswelt. In einem anderen Text werden die *Cwn Annwn* als Höllenhunde dargestellt; sie sind klein, gefleckt und grau-rot und werden von einer schwarzen gehörnten Gestalt an einer Kette geführt. Sie sind Todesboten, die von Annwn ausgeschickt werden, um menschliche Seelen aufzuspüren. Diesen Boten haftet etwas Düster-Unerbittliches an, was dem Bild von einem sorglosen, glücklichen Leben nach dem Tode widerspricht.

Die irische Anderswelt ähnelt der walisischen in mancher Hinsicht; über den Ort, wo sie sich befand, gab es jedoch verschiedene Ansichten. Man stellte sie sich auf Inseln im westlichen Ozean vor, am Grund des Meeres oder unter der Erde. *Sídhe* genannte Hügel waren die Wohnstätten der vertriebenen Tuatha Dé Danann; jedem dieser Götter war von dem Dagdha ein eigener Hügel zugewiesen worden, über den er in der Anderswelt herrschte. Die Iro-Kelten stellten sich die Anderswelt auch als eine Herberge oder *bruidhen* vor, die irgendwo im Land liegen konnte. In die überirdische Welt konnte man auf verschiedenen Wegen gelangen: über das Meer mit einem Boot (wie in der *Reise des Brân*), über einen See oder durch eine Höhle. Ein Eingang zur Anderswelt führte durch den See von Cruachain.

In der irischen Mythologie ist die Anderswelt ein zeitenthobener Ort des Glücks, die Quelle aller Weisheit, des Friedens, der Schönheit, der Harmonie und der Unsterblichkeit. Sie ist als ›Tir na n' Og‹, das ›Land der Ewig Jungen‹, bekannt. Es ist eine Welt voller Magie, Zauber und Musik, in gewisser Weise ein idealisiertes Abbild der irdischen Welt. In jedem *sídh* oder jeder *bruidhen* finden Feste statt, in deren Mittelpunkt der unerschöpfliche Kessel steht, der immer voll Fleisch ist. Ein aussagekräftiges Symbol ist das des sich selbst erneuernden Schweins, das jeden Tag von dem an dem jeweiligen Ort herrschenden Gott geschlachtet wird, dann wiedergeboren wird und am nächsten Tag erneut getötet werden kann. Der göttliche Herr des Festes wird oft als ein Mann dargestellt, der ein Schwein über der Schulter trägt.

In der Anderswelt vergeht die Zeit nicht wie auf der Erde. Wenn lebende Menschen sie besuchen, bleiben sie für die Dauer ihres

Aufenthalts jung, wenn sie aber nach Hause zurückkehren, holt ihr irdisches Alter sie ein. Es gibt schreckliche Geschichten über das Schicksal von Menschen, die aus der überirdischen Welt zurückkommen: Finns Sohn Oisin altert sofort um dreihundert Jahre, und ein ähnlicher Vorfall wird in der *Reise des Brân*, einer Erzählung aus dem 7. Jahrhundert, geschildert. Brân und seine Männer reisen zu der Insel mit dem Namen ›Land der Frauen‹, eine der vielen Varianten der Anderswelt. Sie bleiben dort eine Zeitlang, bis einige der Männer ungeduldig werden und in die Heimat zurückkehren wollen. Wie Oisin werden sie davor gewarnt, das Land zu berühren, aber als ihr Boot sich der irischen Küste nähert, stürzt sich einer der Männer in die See und wirft sich an den Strand, wo er sofort zu Staub zerfällt.

Ein seltsames Merkmal der die Anderswelt bewohnenden Wesen ist, daß sie manchmal auf die Hilfe von Sterblichen angewiesen sind, ohne die sie bestimmte Handlungen nicht ausführen können. So greift Arawn zum Beispiel auf Pwyll zurück, um Hafgan zu beseitigen; Cú Chulainn schlägt Schlachten für Bewohner der Anderswelt, Finn wird von verzauberten Hirschen, Wildschweinen, Jugendlichen und Frauen in das Reich der Überirdischen gelockt, damit er ihnen helfe.

Die finstere Seite der Anderswelt wird ebenfalls in den Mythen dargestellt. Das Anfang November begangene Samhain-Fest fällt in eine gefährliche Zeit, in der die Schranken zwischen der irdischen und der überirdischen Welt vorübergehend aufgehoben sind und Sterbliche und Geister in das jeweils andere Reich eindringen können, wodurch das sonst herrschende Gleichgewicht gestört wird. Als Land der Toten kann die Anderswelt dunkel und erschreckend sein. Der irische Totengott Donn ist eine finstere Erscheinung; Arawn hat ebenfalls eine dunkle Seite, und Annwn kann gefährlich werden. In der Erzählung *Die Kriegsbeute von Annwn* kommt Arthur auf seiner Suche nach dem Zauberkessel gerade noch mit dem Leben davon. Es scheint so, daß Menschen, die als noch Lebende die Anderswelt betreten, in Gefahr geraten. Cú Chulainn zum Beispiel erblickt dort alle möglichen Arten von furchteinflößenden Ungeheuern und hat schreckliche Visionen. In

Figurine einer Unterwelt-Gottheit aus Kreidestein, aus einer vermutlich als heilig geltenden Grube bei Deal in Kent (2. Jh. n. Chr.)

der *Geschichte von Da Dergas Herberge* wird die *bruidhen* eines Gottes beschrieben, in der das Verhängnis auf den irischen König Conaire lauert. Auf seinem Weg dorthin begegnet Conaire düsteren Todesboten, drei rotgewandeten Reitern auf roten Pferden. Er sieht auch die irische Göttin der Vernichtung, die Badbh, die als Trias auftritt, das heißt in der Gestalt von drei abscheulichen schwarzen alten Weibern, die nackt sind und bluten und um deren Hälse sich Stricke winden. Hier wird in ausgeprägter Weise auf den Tod, vielleicht sogar auf Menschenopfer angespielt. Derga ist ein Gott der Toten, aber sein Name kann auch ›rot‹ bedeuten, womit auf Blut und Tod angespielt wird. Die Badbh ist eine schwarze, krähengestaltige Göttin, und schwarz war auch für die Kelten die Farbe des Todes.

Tod

Archäologische Funde deuten darauf hin, daß die Kelten bestimmte Glaubensansichten über den Tod hatten, und es gibt Hinweise darauf, daß sie durch Rituale mit den Mächten der Unterwelt Kontakt aufzunehmen versuchten. Die Art ihrer Grabbeigaben legt die Vermutung nahe, daß sie auf ein Leben nach dem Tode hofften. Solche Gegenstände wurden einem Verstorbenen wohl mitgegeben, weil man davon ausging, daß er sie in einem anderen Leben brauchen werde. Allerdings ist es auch möglich, daß man durch sie symbolisch Abschied von ihm nehmen wollte. Ranghohe Personen wurden während der frühen Eisenzeit in Deutschland und in Frankreich unter großen Erdhügeln beigesetzt – mitsamt ihrer Streitwagen und einer luxuriösen Ausstattung, wie man sie für ein Fest brauchte. Im deutschen Hochdorf wurde im 6. Jahrhundert v. Chr. ein verstorbener Fürst auf eine bronzene Liegestatt gebettet; man gab ihm seinen Streitwagen mit, ein Gefäß, das 440 Liter Met aufnehmen konnte, und mehrere Trinkhörner. In der ausgehenden Eisenzeit wurden in Gallien und in einigen Regionen Britanniens vornehme Verstorbene mit ihren zweirädrigen Streitwagen, ihren Waffen und all den Utensilien, die man für ein

Grab eines Kriegers aus der Eisenzeit aus Somme-Bionne in Frankreich. Dem Toten wurden sein in Einzelteile zerlegter Streitwagen, seine Waffen und andere Gegenstände mitgegeben. Wahrscheinlich glaubte man, daß er sein Schwert und seine Speere in der anderen Welt benötigen werde

Festmahl benötigte – darunter waren auch große Stücke Schweinefleisch –, beigesetzt. Immer wieder belegen die Grabbeigaben, daß man an eine Art ›Leichenschmaus‹ in der Anderswelt glaubte. Einige Gräber aus der ausgehenden Eisenzeit im südöstlichen Britannien und in Kontinentaleuropa zeigen, welche Bedeutung man diesen rituellen Festgelagen zuwies: man fand in ihnen Amphoren, Weinpokale, metallene Stützen für die Holzscheite der Küchenfeuer und Spuren von Fleischgaben.
Während solche Funde dokumentieren, daß es in der Eisenzeit Begräbnisriten gab, kann es auf der anderen Seite als sicher gelten, daß viele Tote nicht beerdigt wurden. In Britannien hat man sogar auffallend wenige Gräber gefunden. Wahrscheinlich wurden ›Exkarnationsriten‹ praktiziert, das heißt, die Leiche wurde einfach den Elementen ausgesetzt, bis sie verwest war und die Seele – wie man glaubte – den Körper verlassen hatte. Nachdem diese entwichen war, konnte man das Skelett ohne jede Zeremonie beseitigen.
Die Verbindung mit den unterirdischen Mächten wurde auf verschiedene Weise hergestellt. In Danebury standen als solche nicht mehr benutzte Getreidegruben im Mittelpunkt eines besonderen Rituals. Menschliche Körper oder Körperteile, Tiere und andere Gaben wurden auf dem Boden dieser Gruben niedergelegt, die man dann zuschüttete. Man hat dies so gedeutet, daß die Unterweltgötter, in deren Reich man durch das Anlegen der Gruben vorgedrungen war, versöhnt werden sollten, man ihnen aber auch dafür danken wollte, daß sie das Korn frisch gehalten hatten.
In vielen Gebieten Britanniens und Europas gibt es Zeugnisse für die Existenz geweihter Brunnen und Gruben, deren Hauptfunktion es gewesen sein dürfte, die Verbindung zur Unterwelt herzustellen, damit man die Götter mit Opfer- und Votivgaben günstig stimmen konnte. Im Heiligtum von Gournay fanden die rituellen Handlungen um eine tiefe Grube herum statt, in der man die Kadaver geweihter Rinder verwesen ließ, um so die chthonischen Götter zu speisen. Offenbar glaubte man, daß Hunde in besonderer Beziehung zur Unterwelt standen. Diese Tiere wird man wegen ihres Jagdverhaltens mit dem Tod assoziiert haben. Die Kör-

per mehrerer Hunde wurden in dem Heiligtum von Muntham Court in Sussex in einer tiefen Grube vergraben; in einer ähnlichen Erdvertiefung bei Caerwent in Gwent lagen fünf Hundeschädel, und auch einige der unterirdischen Getreidespeicher von Danebury enthielten Überreste von Hunden. Daß Hunde in mythischer Verbindung zur Anderswelt standen, wird auch durch die *Cwn Annwn*, die Totenhunde der walisischen Unterwelt, belegt.

Wiedergeburt

Das eindringlichste Symbol für Erneuerung und Regeneration, das sowohl in der irischen als auch der walisischen Mythologie vorkommt, ist der ›Kessel der Wiedergeburt‹. Von der Anderswelt-Herberge, der *bruidhen*, mit ihrem unerschöpflichen Kessel war schon die Rede. Der irische Gott, der vor allen anderen mit diesem Symbol in Verbindung gebracht wird, ist der Daghda. In der walisischen Geschichte von Branwen wird der Zauberkessel Bendigeidfrans beschrieben: er gibt toten Kriegern das Leben zurück, wenn man sie eine Nacht lang in ihm kocht. Ähnliche regenerative Kräfte hat der heilende Brunnen des göttlichen Arztes Dian Cécht, der gefallene Krieger wieder zum Leben erweckt, indem er sie in dem Brunnen versenkt und Zauberformeln über ihnen singt. Auf der Innenseite einer der Silberplatten, aus denen der Kessel von Gundestrup besteht, ist vielleicht die wiederbelebende Kraft dieser Gefäße dargestellt: eine große, eindeutig überirdische Gestalt steht vor einer Gruppe keltischer Soldaten und taucht einen von ihnen in einen großen Kessel oder zieht ihn aus diesem wieder heraus.

In den volkssprachlichen Mythen werden dem Kessel oder vielmehr der in ihm enthaltenen Flüssigkeit eindeutig heilende und wiederbelebende Kräfte zugeschrieben. Archäologische Funde zeigen, daß Kessel bei Wasser-Riten eine Rolle spielten; aus Bronzeplatten gefertigte Kessel wurden schon in der Bronzezeit zu zeremoniellen Zwecken benützt. Für die keltische Eisenzeit ist die Existenz zahlreicher solcher kultischer Gefäße belegt. Viele

Grab eines britannischen Fürsten aus der späten Eisenzeit aus Welwyn in Herfordshire. Der Tote wurde verbrannt; ihm wurden die Gegenstände mitgegeben, die man für ein Festmahl benötigte

wurden in der Nähe von Seen oder Quellen gefunden: die Kessel von Llyn Fawr und Llyn Cerrig in Wales, Brå, Rynkeby und Gundestrup in Dänemark und Duchov in Böhmen sind einige Beispiele.

Wiedergeburt konnte auch durch andere Gefäße und durch andere Flüssigkeiten als Wasser versinnbildlicht werden. In der gallo-römischen Ikonographie wurde – vor allem in Burgund – der gallische Hammergott mit Weinfässern und Weinpokalen abgebildet, die ebenfalls Symbole für Wiederauferstehung gewesen zu sein scheinen. Ein Aspekt der keltischen Anschauungen über Tod und Wiedergeburt kommt in dem Motiv der göttlichen Jagd zum Ausdruck. Da bei der Jagd durch Blutvergießen – also Tod eines Geschöpfes – Nahrung und damit Leben für andere Geschöpfe entsteht, wurde sie zum Sinnbild für Auferstehung und verdeutlichte

Der Gott Esus beim Fällen einer Weide, die vielleicht den ›Baum des Lebens‹ verkörperte. Frühes 1. Jh. n. Chr. Aus Notre-Dame in Paris

die gegenseitige Abhängigkeit, die zwischen den scheinbar so konträren Polen Leben und Tod besteht.

Bestimmte Geschöpfe geben besonders aussagestarke Symbole für Erneuerung ab: so zum Beispiel – wie schon dargestellt – die Schlange, die sowohl für Tod als auch für Fruchtbarkeit stand. Vögel, die sich im Flug von der Erde erheben können, wurden mit der nach dem Tod eines Menschen vom Körper befreiten Seele identifiziert – eine Vorstellung, die sich bis in die christliche Symbolik des Mittelalters erhalten hat.

Gottheiten der Anderswelt standen oft zu Vögeln in Beziehung: die irische Clíodna besaß drei Zaubervögel, deren Gesang eine heilende Wirkung hatte. Die drei singenden Vögel Rhiannons, die im *Mabinogi* erwähnt werden, zeigen ebenfalls, daß diese Tiere das Leben nach dem Tod symbolisierten. Mit Hirschen verband sich die Vorstellung von Wiedergeburt, weil sie ihr Geweih abwarfen und dieses dann neu wuchs. Das ließ an das Absterben der Natur im Winter und ihr Wiederaufblühen im Frühjahr denken.

Auch Bäume waren Sinnbilder für Erneuerung; laubwerfende Bäume starben gleichsam im Winter, und ihre kahlen Äste zeichneten sich dann wie die Knochen eines Skeletts gegen den Himmel ab; im Frühjahr erwachten sie aber wieder zum Leben, bildeten neue Blätter aus und später auch Früchte. Bäume galten auch als Bindeglieder zwischen Leben und Tod, der Ober- und der Unterwelt, weil ihre Äste in den Himmel ragten, während die Wurzeln tief ins Erdreich drangen. Bäume, vor allem Apfelbäume, sind in vielen Mythen von Bedeutung. Clíodnas Vögel fressen von den Früchten eines heiligen Apfelbaums, in der *Reise des Brân* ist ein silberner, mit weißen Blüten besetzter Zweig eines solchen Baums das Emblem einer Göttin der Anderswelt. In den Artus-Epen heißt die Anderswelt der Glückseligen, die auf einer Zauberinsel angesiedelt ist, Avalon: das Paradies der Apfelbäume.

Literaturhinweise

(Von Andreas Hofeneder)

Ade, D. / Willmy, A.: Die Kelten. Stuttgart 2007.

Bauchhenß, G. / Nölke, P.: Die Jupitersäulen in den germanischen Provinzen. Köln/Bonn 1981.

Birkhan, H.: Kelten. Versuch einer Gesamtdarstellung ihrer Kultur. Wien 1997. ^{3}1999.

– Kelten. Bilder ihrer Kultur. Wien 1999.

– Das Geheimwissen der Kelten. Wiesbaden 2014.

Bittel, K.: Die Kelten in Baden-Württemberg. Stuttgart 1981.

Brunaux, J.-L.: The Celtic Gauls. Gods, Rites and Sanctuaries. London 1988.

– Les religions gauloises (V^{e}–Ier siècles av. J.C.). Nouvelles approches sur les rituels celtiques de la Gaule indépendante. Paris 2000.

– Die Druiden. Die Weisheit der Kelten. Stuttgart 2009.

Cain, H.-U. / Rieckhoff, S. (Hrsg.): fromm – fremd – barbarisch. Die Religion der Kelten. Mainz 2002.

Chadwick, N.: The Celts. Harmondsworth 1970.

– The Druids. Cardiff 1966. ^{2}1997.

Clarus, I.: Keltische Mythen. Der Mensch und die Anderswelt. Olten / Freiburg i. Br. 1991.

Cross, T. P. / Slover, C. H.: Ancient Irish Tales. London 1937.

Cunliffe, B.: The Celtic World. London 1979. ^{2}1992.

– Iron Age Communities in Britain. London 1991. ^{4}2005.

D'Arbois de Jubainville, H.: The Mythological Cycle. Dublin 1946.

Davidson, H. E.: Myths and Symbols in Pagan Europe. Manchester 1988.

Davies, S.: The Mabinogion. Oxford 2008.

Demandt, A.: Die Kelten. München 1998. ^{8}2015.

Dillon, M.: Early Irish Literature. Chicago 1948.

Duval, P.-M.: Die Kelten. Übers. von D.-O. Edzard und S. Edzard. München 1978.

Gantz, J.: Early Irish Myths and Sagas. Harmondsworth 1981.

Green, M. J.: The Gods of the Celts. Gloucester 1986.

– Symbol and Image in Celtic Religious Art. London 1989. ^{2}1992.

Green, M. J.: Animals in Celtic Life and Art. London 1992.
– Dictionary of Celtic Myth and Legend. London 1992.
– Celtic Goddesses. Warriors, Virgins, Mothers. London 1997.
– Die Druiden. Düsseldorf/München 1998.
Grosse, R.: Der Silberkessel von Gundestrup. Dornach 1983.
Gschlössl, R.: Im Schmelztiegel der Religionen. Göttertausch bei Kelten, Römern und Germanen. Mainz 2006.
Guyonvarch, Ch.-J. / Le Roux, F.: Die Druiden. Mythos, Magie und Wirklichkeit der Kelten. Engerda [2]1998.
Hartmann, H.: Der Totenkult in Irland. Heidelberg 1952.
Hatt, J.-J.: Kelten und Galloromanen. Genf 1970.
Hofeneder, A.: Die Religion der Kelten in den antiken literarischen Zeugnissen. Sammlung, Übersetzung und Kommentierung. 3 Bde. Wien 2005–2011.
Kinsella, T.: The Táin. Dublin 1969. [Der Rinderraub. Übers. von S. Schaup nach der engl. Übertr. von T. Kinsella. München 1976.]
Mac Cana, P.: Celtic Mythology. London 1983.
Maier, B.: Lexikon der keltischen Religion und Kultur. Stuttgart 1994.
– Das Sagenbuch der walisischen Kelten: Die Vier Zweige des Mabinogi. München 1999.
– Die Kelten. Ihre Geschichte von den Anfängen bis zur Gegenwart. München 2000.
– Die Religion der Kelten. Götter – Mythen – Weltbild. München 2001.
– Die Druiden. München 2009.
– Geschichte und Kultur der Kelten. München 2012.
– Die Kelten. Geschichte, Kultur und Sprache. Tübingen 2015.
Megaw, R. / Megaw, V.: Celtic Art from its Beginnings to the Book of Kells. London 1989.
Meid, W.: Die Kelten. Stuttgart 2007. [2]2011. [Reclams Universal-Bibliothek 18921.]
Moreau, J.: Die Welt der Kelten. Stuttgart 1958. [3]1961.
Müller, F. (Hrsg.): Kunst der Kelten 700 v. Chr. – 700 n. Chr. Stuttgart 2009.
O'Hógain, D.: The Encyclopedia of Irish Folklore, Legend and Romance. London 1991.
O'Rahilly, C.: Táin Bó Cuailnge. Dublin 1970.
Piggott, S.: The Druids. London 1968.
Powell, T. G. E.: The Celts. London 1958.
Rankin, D.: Celts in the Classical World. London 1996.
Rees, A. / Rees, B.: Celtic Heritage. London 1961.
Rieckhoff, S. / Biel, J.: Die Kelten in Deutschland. Stuttgart 2001.
Ross, A.: Pagan Celtic Britain. London 1967.
– The Pagan Celts. London 1986.
Sievers, S. / Urban, O. H. / Ramsl, P. C. (Hrsg.): Lexikon zur Keltischen Archäologie. 2 Bde. Wien 2012.

Sjoestedt, M.-L.: Gods and Heroes of the Celts. London 1949. Blackrock ^{2}1994.
Spindler, K.: Die frühen Kelten. Stuttgart 1983. ^{3}1996.
Stead, I. M.: Lindow Man. The Body in the Bog. London 1986.
The Celts. London 1991. [Katalog der Ausstellung in Venedig von 1991.]
Thevenot, E.: Divinités et sanctuaires de la Gaule. Paris 1968.
van Andringa, W.: La religion en Gaule romaine. Piété et politique (Ier–IIIe siècle apr. J.-C.). Paris 2002.
Vries, J. de: Keltische Religion. Stuttgart 1961.
Wait, G. A.: Ritual and Religion in Iron Age Britain. British Archaeological Reports. Oxford 1985.
Woodward, A.: Shrines and Sacrifice. London 1992.
Woolf, G.: Becoming Roman. The Origins of Provincial Civilization in Gaul. Cambridge 1998.
Zimmer, S. (Hrsg.): Die Kelten. Mythos und Wirklichkeit. Stuttgart 2004.

Die Abbildungen sind, mit Ausnahme der Umschlagabbildung, ebenso wie die Karte der englischen Originalausgabe entnommen, in der sich auch die entsprechenden Nachweise finden.

Register